BARON DE REDÉ
Souvenirs et portraits

Propos recueillis par Hugo Vickers

Traduction, préface et notes de David Gaillardon

LACURNE

Préface

V IVRE SA VIE comme on l'a rêvée, en faire une œuvre d'art et se consacrer tout entier au beau, et à un certain luxe. Telle est l'existence qu'Alexis de Redé, ce héros wildien, a réussi à abriter dans le plus beau des écrins : l'hôtel Lambert. Là en effet, il devait passer plus de cinquante ans de sa vie et faire de la grande nef immobile à la pointe de l'île Saint-Louis, le point névralgique d'où tout partait et auquel tout aboutissait dans une certaine société, là où se préparaient avec le plus grand sérieux, dîners, fêtes et bals éphémères, forcément éphémères, évènements à jamais gravés dans le marbre de l'histoire du goût au XXᵉ siècle.

Belle revanche pour celui qui fut orphelin et ruiné avant l'âge de dix ans. Celui qui a fui l'Europe en guerre y reviendra en 1946, prêt à conquérir les cercles de la Café Society dont il deviendra l'un des personnages les plus emblématiques, grâce à sa liaison avec Arturo Lopez-Willshaw ou son amitié avec Marie-Hélène de Rothschild.

Dans une époque comme la nôtre, où le goût du divertissement aristocratique s'est perdu, et celui de ces fêtes totalement "gratuites" et en même temps si coûteuses semble tout simplement impensable, difficile sans doute d'apprécier à leur juste valeur des existences tout entières tournées vers le culte du beau, du luxe et la préservation d'un certain art de vivre. Il n'empêche, et comme le rappelle justement l'auteur de ces souvenirs, les grands bals de l'entre-deux-guerres comme ceux de l'après-guerre furent un carrousel enchanté qui associait avec bonheur les plus grands artistes aux plus grands noms, le génie créateur des premiers étant stimulé par les moyens financiers des seconds. Imagine-t-on quelle vitrine cette époque a pu représenter, soutenue par l'industrie du luxe et relayée par une presse à même d'en assurer la promotion dans le monde entier ?

Après avoir connu cet intermède propre à toutes les périodes de l'histoire et paru démodés, les bals de la Café Society suscitent à nouveau l'intérêt du public. Ils sont désormais entrés dans l'histoire et sont, de plein droit, une illustration d'un certain mode de vie dans une certaine société. En France, le récent succès du *Café Society* puis des *Scrapbooks du baron de Cabrol et de la Café Society*[1], tous deux ouvrages de Thierry Coudert, sont venus conforter une tendance que l'on remarquait déjà outre-Manche où le public réclamait une publication non expurgée du Journal de Cecil Beaton[2] et de celui de Chips Channon[3].

---

1 Respectivement parus chez Flammarion en 2010 et 2016.

2 *The unexpurgated Beaton. The Cecil Beaton Diaries as he wrote them (1970-1980),* introduction de Hugo Vickers, 2003.

3 *Chips. The Diaries of sir Henry Channon,* publié par Robert Rhodes James, 1996.

Mais pour disposer des mémoires du baron de Redé, il fallait d'abord surmonter un obstacle de taille : convaincre un homme qui, sa vie durant, s'était montré ennemi de tout tapage et de toute publicité. Un homme qui, par un de ces paradoxes que les Anglo-Saxons comprennent mieux que nous semble-t-il, aimait passionnément la conversation tout en étant volontiers taiseux ou, pour reprendre l'expression en usage outre-Manche et ici plus "parlante" : un homme qui était d'abord *a good listener*.

Peu nombreux désormais sont ceux qui l'ont bien connu, ou du moins qui l'ont connu avant sa dernière période, celle qui a précédé la mort de "l'amie chère" entre toutes : Marie-Hélène de Rothschild. Parmi ceux-là, Alexandre Pradère, ancien expert de Sotheby's à qui je demandais il y a quelques mois de me brosser le portrait d'Alexis de Redé me répondit par cette formule que je crois opportun de reprendre ici : « Il était un hôte généreux et très courtois, et savait écouter en posant de temps en temps les bonnes questions. C'était frivole, bien entendu, mais il avait inventé un huitième art : celui de recevoir, qu'il avait porté à un degré de raffinement inégalé ».

L'art de recevoir, Alexis de Redé le possédait en effet au plus haut degré. Avait-il hérité de ses ancêtres autrichiens l'insatiable appétit du collectionneur qui, par essence, désire toujours la pièce qu'il n'a pas encore ? Tenait-il d'eux ce goût de l'accumulation et de certaines pièces somptueuses vers lesquelles l'œil français n'est pas d'instinct guidé – qu'il s'agisse du mobilier du premier Louis XIV, encore marqué par le goût romain du parrain du jeune souverain : Mazarin, ou de ces pièces d'orfèvrerie allemandes fabriquées à Augsbourg ou à Nuremberg ? Ces assemblages savants qui faisaient les délices de Rodolphe II ou d'Auguste le Fort et qu'on peut aujourd'hui encore admirer chez les frères Kugel ont contribué à faire exister un "goût Redé" comme il y eut auparavant un "goût Beistegui" ou, par la suite, un "goût Saint Laurent".

Qui dit collection, dit écrin, et cet écrin, ce fut bien sûr l'hôtel Lambert, vaste navire dont la proue fend les eaux de la Seine à l'extrémité de l'île Saint-Louis. L'hôtel avait déjà servi de cadre à un roman paru alors que son futur illustre locataire n'était encore qu'un enfant, quand en 1927, la princesse Bibesco avait publié son si charmant *Catherine-Paris*.

Mais le vieil hôtel méritait plus qu'une intrigue romanesque : il lui fallait un héros de chair et de sang, et ce héros fut Alexis de Redé, qui parvint en 1948 à convaincre ceux qui le possédaient depuis le milieu du XIXᵉ siècle de lui louer l'un des appartements qui y était vacant. La suite est connue, elle est contenue dans les pages qui suivent…

Une fois les réticences du seigneur du Lambert vaincues, restait à trouver l'historien suffisamment au fait des grandes heures de la Café Society, et de ses acteurs, pour donner corps à ces confessions. Pour Rupert zu Loewenstein, sans doute l'un des plus proches amis de Redé, et en tout cas le plus ardent promoteur de ce projet éditorial, un nom s'imposait : celui de Hugo Vickers.

Au bal Oriental,
5 décembre 1969.

Auteur et historien, connu internationalement grâce au succès rencontré par ses biographies, Hugo Vickers est en effet l'un des plus fins connaisseurs de la période et des différents protagonistes qui sont évoqués par le baron de Redé dans ces souvenirs.

C'est grâce à lui qu'on dispose enfin du journal intime de Cecil Beaton dans sa version non expurgée (*The unexpurgated Beaton*) ou qu'on peut pénétrer dans l'univers intime des Windsor, dans leurs années parisiennes (*The private world of the Duke and Duchess of Windsor*). La plupart des personnalités hautes en couleur qui défilent chapitre après chapitre dans le présent ouvrage lui sont familiers, et l'on renverra le lecteur qui souhaiterait en savoir plus sur Etti Plesch vers *Horses and Husbands*, sur Garbo vers *Loving Garbo* et sur Loelia Lindsay, duchesse de Westminster, vers *Cocktails and Laughter*.

Paru en 2004 en anglais seulement, l'ouvrage était depuis longtemps épuisé. Il appartenait aux Éditions Lacurne de le publier en français. C'est désormais chose faite.

David Gaillardon

Mon portrait par Salvador Dalí.

Renaissance

Situé sur l'île Saint-Louis, au cœur de Paris, l'hôtel Lambert est visible depuis la Seine et le pont de Sully. Construit par Louis Le Vau en 1641, il est orné d'une façade discrète, de hautes fenêtres, et d'une aile qui abrite la fameuse galerie d'Hercule. C'est entre ces murs que j'ai le privilège de vivre depuis maintenant plus de cinquante-quatre ans.

L'île Saint-Louis n'est pas le premier endroit que les touristes recherchent à Paris, même quand ils sont en chemin vers Notre-Dame, ce n'est pas sur cette île en effet que se dresse l'immense cathédrale. L'île Saint-Louis forme un ensemble à part, un endroit qui se tient en retrait du mouvement général. On peut y admirer de nombreux immeubles historiques, habités jadis par des hommes illustres. On y trouve aussi de bons restaurants, et derrière ces hauts murs et ces portails monumentaux se trouvent certains des plus beaux hôtels particuliers de Paris.

Paris n'est pas une ville pour mélancoliques. Au contraire, c'est le lieu de tous ceux qui chérissent l'existence pour tout ce qu'elle a de positif. Quand on pense aux Français, on songe généralement aux grands esprits, attablés en terrasse devant un café noir, occupés à discuter de tout et de rien. On se les représente aussi comme d'éternels romantiques qui vont deux par deux le long des quais de la Seine.

Je dois admettre que je me suis toujours placé au-dessus de la mêlée, me tenant à distance des aspects les plus détestables de la vie moderne. Un de mes amis m'a dit un jour que je m'étais imposé une vie de luxe ; ce n'est pas faux. Le style, la courtoisie et l'élégance comptent pour moi plus que tout le reste. Avec Whisky bien sûr, le chien dachshund hérité de mon amie Marie-Hélène de Rothschild.

Je vis seul et voici que j'ai décidé de raconter mon histoire, ou du moins une partie de mon histoire. J'ai conscience de mener une existence peu banale, et bon nombre de personnes ont sans doute dans leur vie des priorités différentes des miennes. Quoi qu'il en soit, il est toujours intéressant de lever le voile sur une existence un peu singulière, et qui sait : peut-être que quelqu'un, découvrant un peu de ce qu'a été ma vie, saura ensuite comment rendre la sienne plus riche et plus excitante.

Il y a quelques années de cela, à l'Élysée, je me retrouvai assis à côté de Mme Tibéri, l'épouse du maire de Paris. Elle me demanda :
— Et vous, monsieur, que faites-vous dans la vie ?
— Je ne fais rien.
— Rien ? mais personne ne fait rien.

— Mais si, et je suis toujours très occupé. On n'a jamais assez de temps pour faire quoi que ce soit…

Quelques semaines plus tard, je la rencontrai à nouveau, à la mairie de Paris cette fois. Elle me dit alors :

— Je vous reconnais, vous êtes le "monsieur qui ne fait rien".

Que peut donc recouvrir ce fameux "rien" qui m'occupe tant ? Voici une question bien difficile. On pourrait sans doute trouver quelques indices en me demandant ce que j'aime et ce que je n'aime pas. Mais je préférerais encore qu'on se souvienne de moi pour avoir restauré le vieil hôtel Lambert, pour avoir reçu mes hôtes avec un certain faste, et pour avoir maintenu jusque dans une époque à laquelle ils sont pourtant totalement étrangers les usages du monde d'hier.

Je n'aime ni la ferveur excessive ni l'enthousiasme. Je déteste le bruit. Très souvent, Je reste silencieux simplement parce que le silence possède sa propre grandeur. J'écoute les subtiles nuances qui percent parfois à travers le tumulte de la conversation générale. Je chéris le confort, le style et le luxe. Je n'aime pas les hommes dont les chaussettes sont si courtes qu'elles laissent apparaître la peau quand ils croisent les jambes. Je n'aime pas non plus les hommes qui se dispensent de porter une chemise blanche le soir. En fait, je déteste beaucoup de choses de ce genre !

Être en dehors du monde ne me gêne pas. On pourrait même dire que c'est ce que je recherche au contraire. Je me suis toujours protégé du monde extérieur, cela ne changera pas. Mes sens sont tenus en éveil par les objets d'art que je collectionne et au milieu desquels je vis. Mon plus grand plaisir, c'est de les retrouver dans de grands musées ou chez d'autres collectionneurs.

L'hôtel Lambert vu de la rive droite.

Même, si je ne suis pas un philosophe, j'ai bien conscience que peu de gens vivent comme je le fais. La majorité d'entre eux vivent à cent à l'heure, ils n'ont pas le temps de s'intéresser à une paire de souliers sur mesure ni de songer à l'organisation d'un déjeuner élégant. C'est dommage. J'appartiens à un monde qui a été le témoin de bals d'une splendeur et d'une imagination extraordinaires. J'ai croisé les plus grandes figures de Paris, celles qui appartiennent désormais à l'histoire. Ma profonde amitié pour deux personnes que j'ai bien connues – Arturo Lopez et Marie-Hélène de Rothschild – les a aidées à créer plus qu'elles ne l'auraient fait sans doute sans moi. Est-ce que pour autant cela fait de moi une sorte de Svengali [1] ? Je ne crois pas, disons simplement que j'ai toujours aimé encourager les autres et les aider à créer.

Cela fait presque soixante ans que je vis à Paris. J'ai d'ailleurs l'habitude de considérer que ma propre histoire a débuté par mon arrivée à Paris, le 4 juin 1946. Pour d'autres, l'histoire commence avec des grands-parents ou avec des parents, ce qui est tout à fait respectable, mais pour moi elle a véritablement commencé en 1946.

L'avion en provenance de New York s'est posé sur la piste du Bourget. À bord se trouvait mon amie lady Elsie Mendl, que j'accompagnais. Décoratrice d'intérieur, elle était avec sa secrétaire, Hilda West. Comme Elsie était mariée à sir Charles Mendl, l'attaché de presse de l'ambassade de Grande-Bretagne à Paris, Duff Cooper [2], l'ambassadeur britannique avait envoyé sa Rolls-Royce pour nous accueillir.

On conduisit d'abord Elsie à son grand appartement de l'avenue d'Iéna mais dès qu'elle se rendit au Ritz, comme on poussait son fauteuil roulant sous les arcades, elle fut accueillie comme une cliente fidèle qu'on était heureux de retrouver. Comme son biographe l'a écrit : « Pour tous ceux qui travaillaient dans le secteur du luxe, elle était la première hirondelle, celle qui annonçait la fin de ce long hiver qu'avait été la guerre ». À ma façon, j'étais la seconde hirondelle.

Paris sortait tout juste de l'Occupation. Pendant cinq ans, la croix gammée avait flotté sur la capitale. Ceux qui n'avaient pas fui la ville y avaient vécu dans une atmosphère de crainte,

---

1 Svengali, héros maléfique et manipulateur, créé par le britannique George du Maurier dans un roman pour enfants qui n'est pas dénué de relents antisémites : *Trilby*, paru en 1894. Inconnu en France, ce livre eut un grand succès en Grande-Bretagne, il est probable qu'Alexis de Redé l'ait lu enfant ou en ait vu l'adaptation filmée avec John Barrymore.

2 Alfred Duff Cooper (1890-1954) fut nommé ambassadeur à Paris alors que la capitale venait tout juste d'être libérée. Il resta en poste jusqu'en 1947.

particulièrement ceux qui, dans la plus grande clandestinité, avaient combattu les Allemands. Il avait été difficile de se nourrir et les conditions de vie avaient souvent été misérables. La plupart des gens ne circulaient plus qu'à bicyclette, prenant bien soin d'être de retour avant le couvre-feu. Il n'était pas rare à cette époque d'être arrêté et interrogé par la Gestapo.

Après toutes ces années de suspicion, de danger et de privations, les Parisiens revenaient à la vie et voulaient à nouveau s'amuser. Dans le petit cercle des ambassades, le fossé qui séparait les résistants des collaborateurs devait se révéler infranchissable pendant de longues années et, aujourd'hui encore, ces termes sont parfois utilisés. J'ai moi-même eu des amis, je peux bien le dire, qui ont été soupçonnés, et parfois même arrêtés.

Il circulait alors des listes noires et, de temps en temps, lady Diana Cooper, l'épouse de l'ambassadeur, qui n'attachait pas beaucoup d'importance à tout cela, réalisait au dernier moment qu'il lui était impossible d'assister à tel ou tel évènement, rien qu'à cause de l'attitude que l'hôtesse avait eu durant la guerre. Plus d'une fois, à contrecœur, alors qu'elle était déjà en route pour un dîner, elle dut finalement demander à son chauffeur de la reconduire à l'ambassade.

Le même jour, toujours ce 4 juin 1946, j'accompagnai Elsie à la réouverture du Grand Véfour[1], au Palais-Royal, aujourd'hui encore l'un des restaurants les plus réputés de Paris. Resté fermé durant la guerre, il ne souffrait pas de l'ostracisme qui frappait certaines tables comme Maxim's, où l'on avait ouvertement servi les officiers allemands. Le Grand Véfour appartenait aux Vaudable, famille qui possédait également Maxim's. Le maître d'hôtel s'appelait Alfred, il avait occupé les mêmes fonctions chez Maxim's et avait été contraint de quitter l'établissement pour avoir servi les Allemands. Au Grand Véfour, où officiait désormais un nouveau chef, Oliver[2], qui par la suite devait racheter le restaurant, Alfred avait trouvé un second chez lui.

Maxim's resta pour un temps un club réservé à l'armée britannique. Paris était toujours rationné et, pour les produits alimentaires et l'essence, le rationnement se prolongea jusqu'en 1947.

Ce jour-là, en un après-midi, je rencontrai la plupart de ceux qui allaient influencer ma vie durant les années suivantes et contribué à la rendre si féconde. Certains d'entre eux, cela ne

---

1 Le bail du Grand Véfour avait en fait été repris par Louis Vaudable (1902-1983), déjà propriétaire de Maxim's, le 6 mai 1944. Il avait l'intention de redonner son lustre au restaurant du Palais-Royal, un peu tombé.

2 Il s'agit de Raymond Oliver (1909-1990), célèbre chef français qui, en effet, s'associa avec Louis Vaudable puis lui racheta Le Grand Véfour, table qui grâce à lui posséda longtemps trois étoiles au guide Michelin.

Lady Mendl,
née Elsie de Wolfe,
aux côtés de laquelle
je revins à Paris,
au printemps 1946.

Elsie + Blu-
Blu

faisait pas l'ombre d'un doute, ne s'étaient pas montrés tout à fait inamicaux avec les Allemands pendant la guerre.

Le comte Étienne de Beaumont était présent. Il restera comme l'un des organisateurs de soirées les plus imaginatifs de l'avant-guerre, il devait d'ailleurs donner deux bals dans les années suivantes. Je le vois encore aujourd'hui, sa silhouette se détachant depuis la fenêtre, en jaquette et pantalon serré, canne et chapeau haut de forme à la main, archétype de l'élégance du monde d'hier. Il était impossible de ne pas le remarquer. Il était grand, avec un nez assez proéminent qui aurait fait les délices d'un caricaturiste comme Sem. Quand il parlait, sa voix était haut perchée, et quand il riait, un son curieux se faisait entendre, sa respiration semblait s'interrompre un moment puis reprendre tout à coup. Il était tout sauf conventionnel, y compris dans ce que l'on pourrait appeler ses goûts "particuliers", bien que son mariage fût par ailleurs très heureux.

Étienne de Beaumont était originaire de Touraine alors que son épouse, Edith, d'origine flamande, venait de Bretagne. Les Beaumont tiraient leur fortune du négoce du vin, et notamment de Château Latour. Ils formaient un couple uni et éprouvaient une réelle affection l'un pour l'autre. Edith s'activait à donner vie aux idées qu'avait son mari pour les bals costumés qu'ils donnaient tous les deux, chaque année, à Paris[1]. J'ai toujours pensé qu'elle aurait préféré s'occuper exclusivement de traduire de la poésie grecque mais qu'elle acceptait de remplir ces obligations mondaines pour faire plaisir à son excentrique mari. Elle a publié un recueil des poèmes de Sapho[2], illustré par Marie Laurencin, qui a d'ailleurs longtemps habité une dépendance de leur hôtel particulier.

Edith était énergique et faisait tout son possible pour limiter les lubies de son mari. Lui avait les idées certes, mais celles-ci n'auraient jamais pu se concrétiser sans l'aide d'Edith. Attentive et discrète, elle veillait sur lui. Les Beaumont n'étaient pas des hôtes princiers (au sens premier du terme) mais par leur mécénat ils ont joué un rôle bien réel dans le domaine du ballet et des arts en général. Grande aussi a été leur influence dans le domaine de la danse.

---

1 Les bals d'Étienne de Beaumont étaient en effet déjà célèbres dès les années 1920. Dans son recueil de nouvelles *Le rire et la naïade* (paru chez Grasset en 1935), la princesse Bibesco interroge l'aristocrate sur les raisons du succès de ses bals auxquels même les Anglais, réputés pour détester les bals costumés, se pressent. Et Beaumont de répondre : « J'ai découvert que les gens aimaient à se donner de la peine ».

2 *Sapho*, poèmes, traduits par Edith de Beaumont, publié à Paris en 1950. Alexis de Redé en possédait un exemplaire qui figure sous le n° 291 dans le catalogue de la vente organisée par Sotheby's le 16 mars 2005.

Le comte
Étienne de Beaumont.

16

Étienne avait coutume de dire que le plus amusant quand on donne un bal, c'est de dresser la liste de ceux qui n'en seront pas. Il aimait exclure tel ou tel, quitte à faire souffrir ceux qui étaient concernés. Il laissait toujours filtrer l'information selon laquelle il allait donner un bal, avant même que les invitations n'eussent été lancées, uniquement pour créer une certaine effervescence parmi ceux qui crevaient d'envie d'en être. Il avait commencé à donner de grandes réceptions durant l'entre-deux-guerres, la période qui fut vraiment sa grande époque.

Pour le nouvel an 1922, Marcel Proust fit une de ses dernières apparitions publiques au bal que donnait Étienne. Dans *La Recherche,* Proust s'était servi de Robert de Montesquiou pour camper le personnage du báron de Charlus. Raymond Radiguet, l'ami de Cocteau, devait quant à lui emprunter à Étienne et à Edith leur bal des Jeux, dans son roman *Le bal du comte d'Orgel.*

Étienne assortissait parfois ses invitations de recommandations très précises. Lors de son premier bal, en 1919, il avait enjoint ses invités à venir en exposant la partie de leur corps qu'ils considéraient la plus intéressante ! À d'autres occasions, les bals avaient un thème bien défini : la cour de Louis XIV ou bien l'empire colonial français[1]. Il pouvait se montrer très exigeant. En juin 1928, parmi les thèmes proposés étaient : la faune, la flore, les divinités, les sirènes, les tritons, les naïades, les rivières, les îles, les méduses et les poissons, mais les costumes de bains et les tenues de matelots avaient été proscrits, ces deux options étant considérées comme trop facilement adoptées par les fêtards paresseux ou dénués d'imagination.

Jean Cocteau, que je rencontrai ce même après-midi de 1946, fit d'Étienne ce qu'on pourrait appeler son mentor, adoptant ses manières – qui étaient excellentes au demeurant – son goût, son penchant excessif pour la frivolité et jusqu'à son apparence. Il copia même sa chevelure bleu argent : d'abord considérée comme étrange, elle fut dès lors du dernier cri parmi les hommes du Paris élégant. En plus de la protection qu'il a accordée au ballet, aux arts et aux artistes eux-mêmes, on se souviendra d'Étienne pour les fêtes que sa femme et lui ont donné.

Les Beaumont habitaient un hôtel particulier du XVIIIe siècle, avec jardin, rue Masseran, près des Invalides. L'endroit était surnommé "le palais des muses". Cocteau était fasciné par les grands miroirs disposés à l'intérieur de l'hôtel de Beaumont. Il avait coutume de les surnom-

---

1 Au premier bal, le bal des Jeux, en 1921, succédèrent pendant trente ans (après l'interruption due à la guerre) le bal Louis XIV, le bal des entrées d'Opéra, le bal de la Mer, le bal Colonial, le bal du Tricentenaire de Racine, etc. En 1949, Étienne de Beaumont donna son dernier bal : le bal des Rois et des reines.

mer les "portes de la mort" parce que d'année en année, les invités d'Étienne qui continuaient de venir à ses fêtes voyaient ces glaces réfléchir leur reflet vieillissant.

En 1946, Cocteau était déjà une véritable personnalité, et sa renommée ne s'est pas démentie après sa mort. Il était l'un des rares écrivains aimant évoluer dans le beau monde et provoquait en cela l'étonnement des intellectuels qui, eux, avaient soin de s'en tenir éloignés. On disait de lui à l'époque : « un cocktail, deux Cocteau ». Son cercle se composait des Beaumont, de Marie-Blanche de Polignac et de Daisy Fellowes. En fait, le milieu des intellectuels parisiens désapprouvait le fait que Cocteau évoluât dans un pareil cénacle. Je reparlerai plus loin de son étrange amitié pour Francine Weisweiller.

Marie-Laure de Noailles était présente elle aussi lors de cet après-midi mémorable au Grand Véfour. Elle était alors la reine du Paris cultivé et tenait son propre salon littéraire. C'était une femme influente, et elle devait par la suite se prendre d'une grande amitié pour moi. Il y avait aussi les musiciens : Henri Sauguet, Georges Auric et Francis Poulenc, la plupart ayant appartenu au groupe des Six. Cela me fait penser à ce mot du compositeur Ned Rorem qui, à chaque fois qu'on lui demandait s'il avait connu les Six, répondait invariablement : « Oui, je les ai connus tous les cinq ».

Cet après-midi-là, il y avait également quelques décorateurs, notamment Georges Geffroy. Particulièrement apprécié d'Arturo Lopez, il avait également travaillé avec Carlos de Beistegui et Emilio Terry. Geffroy allait devenir l'un de mes grands amis. Il y avait aussi Victor Grandpierre, autre décorateur et ami de Christian Dior. Tous allaient jouer un grand rôle dans ma vie. C'est en fait une véritable constellation que je découvris cet après-midi-là.

Je n'avais pas mis les pieds en Europe depuis que, jeune homme, j'avais quitté Zurich en 1939. J'y revenais sur un autre pied, et avec un avenir autrement plus radieux qu'à mon départ.

Par contraste, mes années de jeunesse n'avaient pas été aussi faciles, placées sous le signe de la tristesse pour ma famille et pour moi.

Portrait de moi enfant,
à l'époque où je résidais
avec ma mère et mon frère
au grand hôtel Dolder
à Zurich.

L'enfance

J E SUIS NÉ LE 4 FÉVRIER 1922. C'est pour cela qu'on retrouve partout chez moi le chiffre 4. C'est mon chiffre fétiche : j'ai rencontré Arturo Lopez le 4 juin 1941 et je suis arrivé à Paris le 4 juin 1946. La première fois que j'ai joué au casino, j'ai tout misé sur le 4 et c'est le 4 qui est sorti !

Mon prénom complet est Alexis Dieter Rudolf Oskar. Sir Rudolph von Slatin, qui sous le titre de Slatin Pacha avait combattu la rébellion du Soudan sans toutefois parvenir à mater les Mahdistes, était mon parrain, cela explique le choix de Rudolf.

J'ai toujours pensé que l'enfance présente peu d'intérêt. Mon père, Oskar Adolf von Rosenberg, était moitié Autrichien et moitié Hongrois. Il était banquier. Sa mère était elle-même d'origine hongroise et de confession catholique. Son frère était l'administrateur des biens de l'abbaye de Melk. Personne ne sait en revanche qui était son père : en effet à la mort du sien, mon père fut adopté par le second mari de ma grand-mère, un banquier nommé Rosenberg. On pense que son véritable père s'appelait Figdor et qu'il travaillait lui aussi dans la banque. En Autriche, les Figdor étaient à cette époque connus pour être de grands collectionneurs d'antiquités.

Mon père fut créé baron de Redé par les Autrichiens en 1913 mais j'ignore ce qui lui a valu cet honneur. Il s'agit d'un titre hongrois. Pour porter ce genre de titre, il faut posséder des terres en assez grande quantité, aussi acheta-t-il un domaine situé en Transylvanie appelé Redé. Après la Première guerre mondiale, cette partie de la Hongrie revint à la Roumanie en vertu du traité de Trianon de 1920. Ma famille perdit alors cette propriété. Mon père ne souhaitant pas devenir ressortissant roumain choisit finalement de devenir sujet du Liechtenstein, ce qui à cette époque déjà était très difficile. On ne pourrait d'ailleurs plus faire cela aujourd'hui. Le Liechtenstein reconnut la validité du titre de noblesse hongrois[1].

Plusieurs personnes se sont interrogées sur cette particule : s'interrogeant sur mes origines, Nancy Mitford s'est amusée à dire que je m'appelais en fait Raeder. Inévitablement, Roger Peyrefitte, qui a attaqué à peu près toute l'humanité dans son livre *Les juifs,* insinue que je

---

1 Le catalogue de la vente Redé organisée les 16 et 17 mars 2005 porte au n° 740, le lot suivant : « Livre confirmant l'anoblissement d'Oskar Adolph Rosenberg en baron de Redé ».

devrais en fait être appelé Rosenberg ou Rosenthal. Il assure même que mon titre est faux sous prétexte qu'il n'en a pas trouvé trace dans l'*Almanach de Gotha*. Il m'adresse un compliment bien involontaire en assurant que je ne suis en fait qu'un homme d'affaires qui a fait fortune et que j'ai fait fructifier – jusqu'à la doubler – la fortune d'Arturo Lopez ! Il me compare en cela à Paul-Louis Weiller, l'un des grands mécènes de Versailles et d'autres monuments historiques. Malheureusement, dans mon cas, il a eu tendance à exagérer le montant de ma fortune.

Je veux rétablir ici les faits en toute honnêteté. Même si le titre de baron de Redé ne figure pas dans l'*Almanach de Gotha*, il est bien mentionné dans le *Dictionnaire de la noblesse française*, sa date de création est même précisée : le 26 mai 1916. Il s'agit d'un titre hongrois donné par l'empereur d'Autriche en tant que roi de Hongrie. Il a été soumis à l'empereur lui-même, en 1913, mais n'a été enregistré qu'en 1916 et porte le numéro 3044.

Ma grand-mère, née Bärlein.

Ma famille maternelle, les Kaulla, était la plus riche famille juive d'Allemagne du Sud au XIXe siècle. Ils ont ajouté une particule quand ils sont devenus gouverneurs de la banque royale du Wurtemberg dont ils partageaient les actions à égalité avec la famille royale. Quelqu'un m'a un jour envoyé un article de presse qui évoquait la puissance de cette famille Kaulla. Au tout début du XIXe siècle, ils étaient bien plus riches que les Rothschild ou n'importe quelle famille juive. Ils ont été anoblis par le prince-régnant[1], un Hohenzollern-Hechingen, en 1841. Il est dommage que les choses n'en soient pas restées là…

Une des ancêtres de ma mère était l'amie de l'impératrice Marie-Thérèse d'Autriche. Dans les archives familiales, on trouve un document dans lequel la souveraine l'invite à venir la voir. Il traduit bien leur proximité : « Mme Kaulla, si vous devenez catholique, je vous ferai comtesse le jour suivant et ce titre vaudra également pour tous vos descendants ». Ce à quoi Mme Kaulla répondit : « Votre Majesté, je suis profondément honorée par vos généreux desseins. Malheureusement je ne peux pas faire cela à mes ancêtres, aussi suis-je contrainte de refuser ». Et l'impératrice de conclure alors : « Mme Kaulla, je comprends tout à fait et la seule chose que je doive vous demander, c'est de bien vouloir rester mon amie ».

---

1 Banquiers du Wurtemberg au milieu du XVIIIe siècle, les Kaulla furent, en fait, anoblis par le roi Frédéric IV de Wurtemberg en 1808.

Mon parrain, Rudolf Slatin
Pasha, en 1921.

Mon grand-père devait finalement se faire protestant, luthérien, dans les années 1890 et ce afin d'épouser une très belle femme – ma grand-mère – qui tenait absolument à pouvoir assister aux bals de la cour du Wurtemberg. Les juifs étaient admis dans les réceptions officielles mais ils ne pouvaient assister aux bals. À partir de ce moment-là, la fortune familiale commença à décliner et, à la fin de la Première guerre mondiale, il n'en restait plus rien. Cependant, comme c'est souvent le cas avec les convertis, ils étaient plus protestants encore que les protestants eux-mêmes !

Ma mère se prénommait Edith. Elle insista pour élever ses enfants dans la foi protestante mais pour ma part, je me suis converti au catholicisme, à Paris, dans les années 1950, pour faire plaisir à Arturo Lopez qui était catholique. J'ai été reçu dans l'Église catholique par un homme que je connaissais bien, le père Daniélou, qui fut créé plus tard cardinal. Je ne peux pas dire que je sois vraiment un bon chrétien mais enfin, il n'en reste pas moins que c'est là ma religion. Après tout, je n'avais jamais spécialement été un bon luthérien non plus…

Mon enfance ne fut pas aussi heureuse qu'elle aurait pu l'être, je dois l'avouer. Je ne voyais mon père que rarement même si j'étais son préféré, ce que je trouvais injuste pour mon frère aîné. Peut-être retrouvait-il en moi le visage de ma mère dont j'étais par ailleurs très proche. C'était un homme intéressant, charmant même, mais il passait le plus clair de son temps à Paris, ne venant nous voir qu'une fois par mois. Il avait possédé avant la Première guerre mondiale un pied-à-terre dans la capitale française, et c'est là qu'il avait épousé ma mère avant que la guerre n'éclate.

Nous étions trois enfants : ma sœur Marion née en 1916, mon frère Hubert né en 1919, et moi-même. Ma sœur était née infirme et resta handicapée tout le reste de son existence. Son état nécessitait des soins constants : ses hanches étant mal formées, elle ne pouvait pas marcher. À la mort de mes parents, elle passa le reste de sa vie dans des cliniques. Je pris soin d'elle autant que je le pus. Elle avait reçu un peu d'argent grâce à une assurance vie qu'avait contractée mon père. Elle est morte à la fin des années 1980.

De notre côté, nous vivions mon frère et moi avec notre mère, Edith. Sa grande beauté lui attirait tous les suffrages, c'était une femme très douce. Je tiens beaucoup d'elle. Nous habitions à l'hôtel Dolder, un palace de Zurich qui existe toujours. C'est ce que mon père voulait pour

Edith Kaulla, ma mère,
et Donna von Pattik,
Stuttgart, 1903.

Mes parents,
Edith et Oskar
Rosenberg de Redé.

nous. Nous y occupions seize chambres et nous y étions servis par le personnel de l'hôtel, ma mère ayant sa propre femme de chambre, mon père son valet, que complétaient encore une bonne d'enfants et deux nurses. L'une de ces nurses était anglaise et je l'adorais littéralement. Ma mère se réservait l'usage d'une des seize chambres uniquement pour pouvoir y arranger ses compositions de fleurs, passe-temps qu'elle aimait particulièrement.

Très jeune déjà, j'étais plutôt imprévoyant avec mon argent de poche, et je le dépensais sitôt qu'on me l'avait donné. Je pense que de mener ainsi la vie d'hôtel, de ne pas avoir de racines et sans doute aussi de garder en moi un certain sentiment d'insécurité m'a amené à grandir en développant ce goût immodéré du luxe.

Ma mère parlait très bien l'anglais et, comme ma gouvernante était anglaise, j'ai appris cette langue dès l'enfance. Ensemble nous ne parlions guère qu'anglais. Ensuite, je suis allé de 6 à 12 ans dans une école de langue allemande à Zurich, et j'y ai appris cette langue sans jamais toutefois parvenir à me défaire de mon accent suisse. J'ai beaucoup aimé Zurich.

Ma mère est morte des suites d'une leucémie en 1931, alors que j'avais 9 ans. À cette époque, on ne savait pas comment soigner cette maladie. Ce fut une perte immense. Sa mort fut une terrible tragédie : elle était partie pour Vienne afin d'y voir sa famille et ne devait jamais en revenir. Ma tante m'a révélé plus tard que quand elle était arrivée là-bas, un ami lui avait dit : « Ne comprenez-vous pas que votre mari a une maîtresse à Paris et qu'il est en train de courir à la ruine ? »

Elle en fut profondément ébranlée et la leucémie devait trouver là un terrain favorable, comme cela arrive souvent avec cette maladie. Elle mourut à Vienne trois semaines plus tard. Mon père avait

effectivement une maîtresse. Je devais la rencontrer des années plus tard. Elle était autrichienne et fut plus tard l'épouse de Félix Rohatyn[1], qui devait devenir ambassadeur des États-Unis en France.

Sa mort me plongea dans un profond abattement. J'étais triste de n'avoir plus ma mère alors que les autres avaient toujours la leur, et du jour où elle mourut, je fus incapable de participer au moindre goûter d'enfants. Je me mis à redouter les fêtes de Noël, et cette date reste d'ailleurs le moment de l'année que je déteste le plus aujourd'hui encore.

Mon père était banquier mais il fut malheureusement acculé à la banqueroute. Dans l'entresol du Lambert, j'ai consacré à ma famille toute une série de photos[2]. Mon père avait une demi-sœur plus âgée que lui, elle avait épousé un diplomate hongrois appelé le baron Doczy. Il est l'auteur de plusieurs livres et pièces de théâtre. Il en a même écrit une pour Johann Strauss qui n'a été jouée qu'une fois. Tout cela se passait au début du XXe siècle. Ma tante devait néanmoins survivre à mon père.

De son côté, ma mère avait une sœur qui vivait aux États-Unis où elle était médecin. Elle avait également un frère qui est mort en Autriche.

Ma mère, mon frère Hubert, ma sœur Marion et moi, Les Avants, août 1923.

---

1 Né à Vienne (Autriche) en 1928, Félix Rohatyn fuit ce pays pour la France, avec sa famille, en 1934. La Seconde guerre mondiale oblige les Rohatyn à passer aux États-Unis, via le Portugal puis la Grande-Bretagne. Après une brillante carrière dans la banque, Félix Rohatyn fut ambassadeur des États-Unis en France de 1997 à 2000.

2 La photo en double page qui ouvre le chapitre « Couloir » du catalogue de la vente Redé permet d'apercevoir quelques-unes de ces photos de famille pieusement conservées par le baron de Redé.

Ma sœur, "Noni", en 1923.

Moi, sur la plage,
à Viareggio, en Toscane.

Mon frère, ma sœur
et moi avec notre nurse,
Les Avants, 1922.

Je n'ai connu aucun de mes grands-pères : l'un et l'autre étant décédés avant ma naissance. La mère de ma mère vivait à Stuttgart et son père à Vienne. Il m'est arrivé de passer certains étés dans les montagnes autrichiennes avec ma grand-mère paternelle et sa sœur. Quand ma mère est morte, j'ai été recueilli par mon autre grand-mère.

Le Rosey

Pour mon douzième anniversaire, on m'envoya au Rosey, célèbre école située dans le canton de Vaud où l'enseignement était dispensé en français. J'ai passé là cinq années qui ont été les plus formatrices de mon enfance. Le Rosey a toujours été considéré comme un pensionnat à la fois chic et cosmopolite. Je m'y fis vite des amis. En fin de semaine, je rentrais chez moi, retrouvant ma gouvernante qui vivait dans un hôtel à Lausanne.

Lors de mon entrée au Rosey.

Le futur shah d'Iran était lui aussi inscrit au Rosey durant les deux premières années où je m'y trouvais. Il a rédigé un petit article sur moi dans le journal de l'école en 1935, assez bien tourné : « Aussi racé que l'élégant lévrier, il marche avec une grâce nullement affectée et se meut avec une langueur pleine de grâce. Aimable avec chacun, sa façon de dire bonjour est inimitable, la gentillesse s'y mêle à un air rêveur. Durant le temps consacré aux exercices, il oublie qu'il est un mortel fait de chair et de sang, et demeure absorbé dans quelques rêves mystérieux.

« Il ne relève pas de notre monde violent et agité, et n'est pas davantage un guerrier, mais il possède une grâce féminine qui pourrait bien tenir de la rose. Son patronyme, une fois traduit, ne signifie-il pas "montagne de roses ?" »

Le prince Rainier de Monaco était également pensionnaire du Rosay en même temps que moi. Il y avait aussi Richard Helms, qui devait devenir plus tard directeur de la CIA et être reconnu coupable d'avoir menti au Congrès en lui ayant caché certaines missions liées à Allende et au Chili.

Il y avait alors quatre-vingts élèves au Rosey. Je ne suis pas certain que d'un point de vue purement pédagogique, ce fût alors un établissement hors pair mais le fait est que l'on y était très bien élevé. Aujourd'hui, il y a plus de deux cents élèves. C'est désormais une école mixte et bien meilleure au plan académique, mais de mon temps seuls les garçons étaient admis.

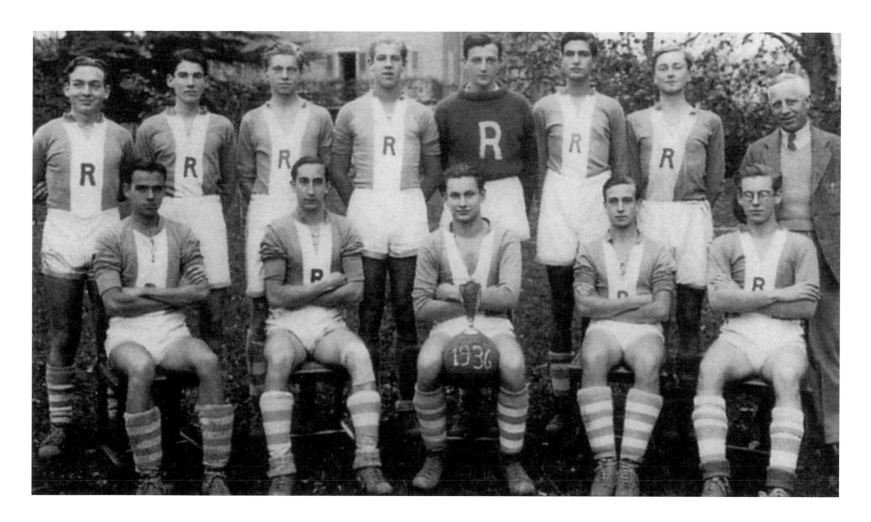

L'équipe de football
du Rosey, en 1936.
Je suis assis à gauche.

Les cours étaient dispensés à Rolle du printemps à l'automne, ensuite toute la classe se transportait à Gstaad pour l'hiver. C'est là que j'ai appris le français puisque je parlais déjà l'allemand et l'anglais. Personnellement, je n'étais pas particulièrement doué pour les cours magistraux mais j'aimais particulièrement les activités sportives, notamment le football, le tennis et le ski. J'aimais également le dessin, même si je ne brillais pas spécialement dans cette discipline et la lecture aussi, mais il faut bien avouer que l'essentiel de mon temps se passait à rêvasser. À rêver d'un avenir que je voyais doré mais qui me semblait insaisissable.

Aujourd'hui pourtant, il m'apparaît que j'avais sans doute le cerveau mieux disposé pour les affaires financières que mes camarades, car ces derniers se tournaient volontiers vers moi afin que je les aide à résoudre quelques problèmes mathématiques compliqués.

Sur le plan politique, l'époque n'était pas simple et certaines réalités n'échappaient pas à l'enfant que j'étais alors. J'aimais l'histoire et je dévorais la presse, m'étant très tôt intéressé à la politique. Je ne tardai pas à comprendre la terrible menace que représentait la montée du nazisme. Zurich était la première étape pour les Autrichiens et les Allemands fuyant les nazis et lors de mes séjours dans un des hôtels de cette ville, il m'arriva plus d'une fois d'être le témoin de ces exodes. Depuis ce poste d'observation, je pus suivre aisément la naissance et la progression du parti nazi.

À l'époque où j'étais à Zurich, j'avais un camarade allemand que j'aimais tout particulièrement et qui séjournait chaque année dans le même hôtel que moi. Un jour, en 1933, il vint me voir et me lança : « Je ne pourrai plus t'adresser la parole désormais », sur quoi il tourna les talons et disparut.

J'étais bouleversé et demandai aussitôt à ma gouvernante une explication. Elle me répondit alors : « Ce ne sont pas des gens bien. Je suis heureuse pour toi que tu ne les fréquentes plus. »

La famille de mon ami était tout simplement nazie et comme j'avais du sang juif, on lui avait recommandé de ne plus me parler.

Je n'ai en fait pris conscience que j'étais juif qu'à partir du moment où la réalité de la situation politique m'est apparue. Aussi n'étais-je pas du tout effrayé au début même si je dois bien admettre que la montée du nazisme a joué un rôle certain dans ma vie, directement ou non. Pour la plupart des gens, Hitler n'était pas appelé à durer, mais pour moi si ! J'ai assez vite compris qu'il représentait le mal absolu. Les choses finirent par me toucher directement. Ainsi, la sœur de ma mère, qui était médecin, comprit qu'il lui fallait quitter l'Allemagne pour les États-Unis : elle ne sentait plus en sécurité. Ensuite, mon frère partit à son tour pour les États-Unis après qu'on lui a fait prendre conscience du sang juif qui coulait dans ses veines. Il était à cette époque étudiant à Dartmouth College, il avait voulu intégrer une des corporations étudiantes mais un de ses amis le dénonça comme juif et il en fut profondément affecté.

Dans mon pensionnat se trouvait un jeune Polonais : il fut la seule personne dont je tombai réellement amoureux. Il était très très beau et avait beaucoup d'allure. Il avait une sexualité assez débridée et couchait avec n'importe quel garçon ou fille de ferme qu'il pouvait trouver. Je n'ai jamais rien fait avec lui.

Quand je l'ai croisé de nouveau après la guerre, il était devenu chauve, s'était marié, avait eu des enfants et sa personnalité avait changé du tout au tout. Il avait été envoyé en camp pendant trois ans par les Russes mais avait finalement été sauvé et avait refait sa vie outre-Atlantique.

Le Rosey était une école très amusante. Il y avait là un garçon assez brillant, un juif polonais. Mon camarade et lui prenaient ensemble le train pour Varsovie. Ils sortaient à gauche et à droite. Le juif polonais devait fort bien réussir dans la vie et il est aujourd'hui très riche.

J'étais très bien au Rosey et les cinq années que j'y ai passées ont été très heureuses. Enfant, je n'étais pas très ambitieux. J'étais insouciant quant à l'avenir, ce qui sans doute me donnait un certain charme. En revanche, je ne m'y suis jamais senti en sécurité et cette quête de sécurité devait peu à peu devenir l'un des grands buts de mon existence.

En 1939, tout changea soudain pour moi, la fortune paternelle ayant poursuivi sa descente infernale. Je pense en fait que les ennuis de mon père avaient commencé par la série de faillite des banques allemandes, au long des années 1930. Je pris conscience de ses difficultés quand la suite de seize chambres que nous occupions à l'hôtel commença à se réduire comme peau de chagrin, pour se limiter finalement à deux chambres. Pour autant, je n'aurais jamais imaginé que la situation était si grave, d'autant que je le voyais très peu. Mon frère et moi passions le plus clair de nos vacances chez nos grands-parents ou avec nos gouvernantes et, le reste du temps, j'étais pensionnaire au Rosey.

Le jour où mon père mourut, nous étions à Saint-Moritz. L'annonce de son suicide fut un choc terrible et nous décidâmes de retourner à Zurich. Conscient de se trouver financièrement dans une situation critique, il s'était résolu à mettre fin à ses jours, soucieux de nous laisser au moins le bénéfice de son assurance vie. Cela peut sembler surprenant mais la police en question contenait une clause qui stipulait que les bénéficiaires en faveur de qui elle avait été contractée pouvaient la toucher même en cas de suicide. La majorité de la somme en question était destinée à ma sœur dont l'état de santé nécessitait des soins constants.

Je me retrouvai dès lors sans père ni mère. Ma nurse anglaise constituait tout à coup le pilier autour duquel s'articulait ma vie : j'avais vécu auprès d'elle depuis ma naissance. La pauvre mourut une semaine après mon père.

On plaça ma sœur dans une clinique et on me désigna un tuteur. J'étais désormais seul dans la vie.

Ce n'était pas facile mais il me fallut faire avec. Mon tuteur était d'origine russe et vivait à Zurich. Sa famille était liée à la poétesse russe Tchaikovitch. Hélas, peu de temps après que j'eus emménagé chez lui, la Seconde guerre mondiale éclata et il fut rappelé pour servir en tant qu'officier dans la réserve suisse. Il me confia alors à son père, qui était complètement fou. Voici la première chose que ce pauvre homme me dit (on était alors peu de temps après le suicide de mon père) : « Vous devez bien comprendre que vous n'êtes qu'un mendiant désormais ».

Il me traitait fort mal. Je détestais être avec lui et je découvris assez rapidement qu'on était en train d'ourdir un petit complot contre moi, destiné à m'envoyer dans un établissement scolaire de seconde catégorie. C'en était trop ! Je décidai de partir pour l'Amérique où ma tante, la

sœur de ma mère, s'était établie. Cela pourra paraître courageux mais à cette époque personne n'aurait pu m'en empêcher. De fait, mon tuteur fut sans doute soulagé d'être débarrassé de moi et d'être déchargé de ses responsabilités. Il se montra enchanté mais voici ce qu'il écrivit à ma tante, aux États-Unis : « Vous feriez bien de le faire enfermer dans un asile de fous ».

J'étais comme cela à l'époque !

Il avait été décidé que je serais placé sous l'autorité de ma tante qui vivait à Troy, près d'Albany, où elle dirigeait la faculté de médecine de Russel Sage College[1]. Je quittai donc Zurich pour Gênes où j'embarquai sur un navire italien : le Conte di Savoia, en partance pour l'Amérique. Durant la traversée, il y eut un moment pénible quand le bateau fit escale à Alger : tous les passagers qui n'étaient pas en règle furent débarqués et remis aux autorités de Vichy.

Menotti a composé un petit opéra intitulé *Le consul,* dans lequel justement des voyageurs essaient de présenter des papiers en règle à un consul et se font refouler à chaque nouvelle tentative. J'étais détenteur d'un passeport délivré par le Liechtenstein, tout se passa donc bien pour moi. Je fus autorisé à poursuivre mon voyage mais depuis lors, j'ai développé une véritable phobie des passeports et des visas.

Je ne tardai pas à faire la connaissance d'autres passagers à bord. Je reconnus les deux filles Russell dont l'une avait épousé l'un de mes amis du Rosey, Dino Pecci-Blunt, et l'autre un Corsini de Florence. Je rencontrai aussi Jeanne-Marie de Villiers-Terrage, dont le père était un baron français et la mère une Américaine. Elle est aujourd'hui duchesse de la Rochefoucauld. Son mari, François, est le fils d'Edmée, qui donnait ces fameux mercredis à son domicile parisien, place des États-Unis. Tous fuyaient l'Europe comme j'étais en train de le faire moi-même afin d'éviter la guerre.

Sans doute ma tante ne savait-elle pas trop à quoi s'attendre en me voyant débarquer à New York. Je posai le pied sur le sol américain, un superbe parapluie de chez Swaine, Adeney & Brigg sous le bras. Ma tante avait déjà retenu deux jeunes personnes de la bonne société (leur nom m'a échappé depuis) pour veiller sur moi. Elles avaient réservé à mon attention une chambre à la YMCA mais, apparemment, je n'étais pas du tout le genre de garçon qu'elles escomptaient. Et je ne me rendis pas davantage à l'auberge de jeunesse où je savais trop bien que j'aurais perdu

---

1 Situé à Troy, dans l'État de New York, cet établissement secondaire fondé en 1916 par la suffragette américaine Margaret Slocum Sage avait déjà acquis la réputation d'excellence qui est la sienne aujourd'hui. Il n'était alors ouvert qu'aux jeunes filles.

ma virginité sur l'instant ! Je choisis finalement l'hôtel. J'avais mis tout le monde devant le fait accompli. Personne ne me comprenait.

J'étais déjà un sybarite. Je m'installai au New Weston Hotel où l'on me donna une fort jolie chambre pour vingt dollars (elle en vaudrait cinq cents aujourd'hui). Quand j'y songe, je me dis que j'étais tout de même bien vulnérable alors, mais le sexe n'a jamais joué un grand rôle dans ma vie. On m'a souvent fait des avances auxquelles je n'ai pas cédé. La première personne avec laquelle j'eus vraiment une aventure, c'est Arturo Lopez, mais ce fut beaucoup plus tard.

Sans doute n'avais-je pas à l'époque une vision très réaliste des choses. Je me rêvais encore un avenir radieux, pourtant je n'étais pas ambitieux, du moins pas au sens traditionnel du terme. Je savais que j'avais du charme et j'avais conscience que j'exerçais une certaine attirance.

J'ai sans doute été confronté à des situations parfois étranges mais j'ai toujours su les esquiver. Rien ne me surprend vraiment : c'est comme si les choses suivaient toujours le même schéma. Et si je reste un rêveur impénitent, je me prends toujours à rêver d'abord à de jolies choses.

New York

J'ÉTAIS ENFIN À NEW YORK et une nouvelle existence s'offrait à moi, mais j'étais totalement seul. Je disposais en tout et pour tout de deux cents dollars par mois alors que mes goûts dispendieux en exigeaient beaucoup plus. Je commençai donc par quitter l'hôtel où j'étais descendu pour occuper un studio à l'est de la 79e rue. Une Irlandaise assez jolie s'occupait du ménage. Elle ne tarda pas à tomber amoureuse de moi et se mit à m'apporter à déjeuner chaque jour. Le menu était toujours le même : deux œufs au bacon et une pomme au four.

Chaque jour également, à dix-sept heures, son petit ami rentrait du travail, et comme il était assez jaloux je disparaissais aussitôt. Nuit après nuit, je me mis à arpenter les rues de New York, seul. Sans doute étais-je protégé par un ange gardien efficace car la nuit, la ville était réputée dangereuse. Parfois, j'étais abordé par des types qui voulaient m'offrir un verre et qui me faisaient des avances. J'ai toujours refusé et il ne m'est jamais rien arrivé. À cette époque, le sexe comptait peu pour moi même si j'avais déjà pleinement conscience d'être bisexuel.

Il était urgent que je décroche un travail et je commençai à croire que ce serait plus facile en Californie. Arrivé à New York en septembre 1939, cela faisait déjà dix mois que je m'y trouvais. En juillet 1940, mon frère Hubert[1] quitta Dartmouth et arriva à son tour en Amérique. Hubert m'aimait beaucoup, j'étais un peu son mentor même si je n'ai jamais compris pourquoi.

Nous séjournâmes tous les deux à Los Angeles durant un peu moins d'un an, jusqu'à l'été 1941, partageant un appartement, mais il devint assez vite évident que mon frère n'aimait pas les États-Unis. Il était finalement beaucoup plus "helvète" que moi et il aurait de beaucoup préféré retourner vivre en Suisse.

Je finis par décrocher un emploi chez un antiquaire à Hollywood. Je ne connaissais absolument rien au commerce d'antiquités quand je commençai dans ce métier, mais j'avais l'œil et j'appris assez vite. J'arrivais ainsi plus ou moins à joindre les deux bouts. Un jour, Salvador Dalí entra dans la boutique comme je m'y trouvais. Il était en ville et travaillait à l'époque à l'écriture d'un scénario destiné à Bette Davis, pour un projet de film qui ne devait finalement jamais voir le jour. Très vite, je sympathisai avec lui et avec Gala, son épouse. Il parlait très mal anglais, aussi lui étais-je très utile en lui servant d'interprète.

Nous étions appelés à rester des amis très proches et cela aurait pu durer ainsi durant des années mais un jour, comme je donnais un déjeuner en l'honneur du couple Dalí, Gala se

---

1 Hubert Rosenberg, deuxième baron de Redé, mort en 1942.

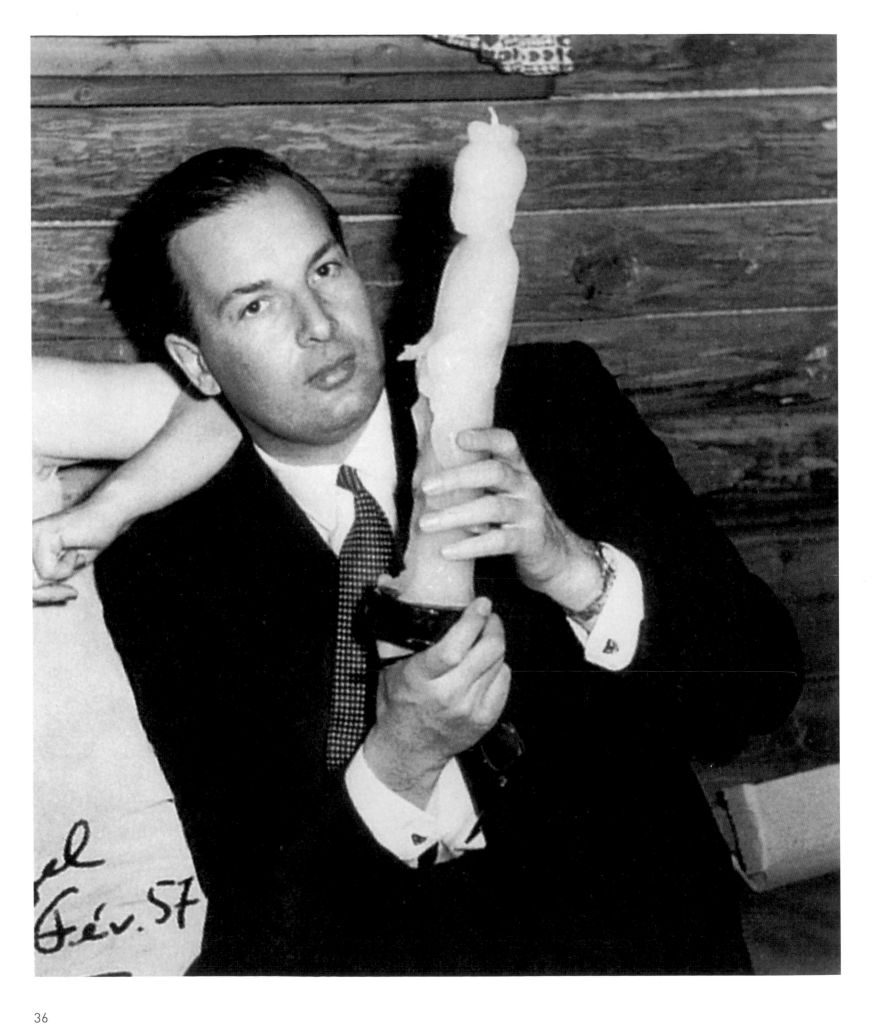

36

tourna vers moi et me lança, brutalement : « Regardez un peu tous ces imbéciles que vous fréquentez depuis vingt ans ! Puis, se levant de table, elle ajouta en murmurant de manière un peu théâtrale : j'en ai ma claque, je m'ennuie, je rentre ». Évidemment, à compter de ce jour-là, notre amitié se refroidit nettement.

Entre-temps, je m'étais lié d'amitié à New York avec une Belge du nom de Lucy Shirazi, petite-nièce par sa mère du peintre Félicien Rops[1]. Nous nous étions rencontrés lors d'un cocktail. Son père, un certain M. Jadot, était à la tête des chemins de fer belges. Elle-même avait épousé un Iranien et devait avoir une bonne quinzaine d'années de plus que moi. C'était une femme qui connaissait la vie. J'envisageais à l'époque de rentrer à New York : elle m'y encouragea. Mon frère, lui, préféra rester en Californie. C'est là que tragiquement il choisit de mettre fin à ses jours, l'année suivante, en 1942.

Je vivais toujours de ma petite pension de deux cents dollars par mois, ce qui n'était pas beaucoup. Je n'avais absolument rien à moi : tout ce que je possédais se limitait au smoking de mon père, à ses boutons de manchette et aux perles que mon père avait offert à ma mère pour leurs fiançailles. Je vivais donc de mon revenu mensuel et, quand l'argent venait à manquer, je déposais chez le prêteur sur gages ces bijoux de famille. Quand je touchais à nouveau ma pension, je les libérais. Je n'étais pourtant pas totalement dépourvu d'amis, je connaissais désormais quelques personnes. Il y avait à l'époque une petite communauté d'étrangers à New York qui avait fui l'Europe et nous étions tous plus ou moins en relation.

Cecil Pecci-Blunt

Au sein de ce petit groupe, une personnalité se dégageait tout particulièrement, en Californie comme à New York : celle de Cecil Pecci-Blunt, le père de mon camarade de pensionnat, Dino. C'était un personnage atypique. Quand je fis sa connaissance, il était marié à donna Anna Laetitia Pecci, qu'on appelait toujours "Mimi". Elle était la fille unique du comte Camilo Pecci, de Rome, et la nièce du pape Léon XIII. Elle s'était juré de l'épouser et l'avait séduit en l'accompagnant dans un musée, quelque part en Italie, où elle avait identifié devant lui chacun des peintres dont les tableaux ornaient la galerie : « Dès ce moment-là, disait-elle souvent avec fierté, j'ai su que je l'avais séduit. »

Dino Pecci-Blunt.

---

1 Félicien Rops (1833-1898), dessinateur et illustrateur franco-belge. Il est célèbre pour ses illustrations érotiques.

Pecci-Blunt est de ceux qui ont eu à souffrir de l'ironie mordante de Roger Peyrefitte. Né Blumenthal (il fit par la suite changer son nom en Blunt), il était le fils de Ferdinand Blumenthal et de Cecilia Ullmann. Le père de Blunt était le principal actionnaire de la firme F. Blumenthal & Cie, à l'origine des artisans du cuir ayant quitté Francfort vers 1875 pour s'établir à New York. L'origine du négoce familial remontait à 1715, le père Blumenthal avait ouvert une succursale à New York tout en assurant la fabrication à Wilmington, dans le Delaware. Heureux en affaires, il avait pu se retirer des affaires assez tôt, habitant 19 Spruce Street, à New York, et au 34 de l'avenue du Bois, à Paris. Il s'était fait une certaine réputation comme collectionneur, notamment des peintres de l'école de Barbizon et possédait également un grand nombre de toiles de Corot. Il devait mourir en 1914, à bord du vapeur Patria qui ralliait Naples à New York.

Cecilia, désormais veuve et très riche, devint duchesse de Montmorency en 1917, en épousant Louis, deuxième duc, dont le père avait été l'une des grandes figures de la cour de Napoléon III. Inutile de préciser que les plaisantins l'appelaient la duchesse de Montmoren'thal! Sa famille, les Ullmann, était juive et aisée. En mai 1919, son frère, J. Stevens Ullmann, fit part des fiançailles de son fils, M. Cecil Charles Blunt (ainsi qu'il se faisait appeler), directeur général de Blumenthal & Cie, avec donna Anna Pecci. Le pape anoblit Blunt en le faisant comte et avalisa le patronyme de Pecci-Blunt, qui fut bientôt gravé au fronton du palais que le jeune ménage devait occuper à Rome.

Le couple compta vite parmi les plus lancés dans le monde des arts. La comtesse Pecci-Blunt tenait une galerie qui assurait la promotion de la jeune création artistique (la création mondiale de *War Scenes,* l'œuvre du compositeur Ned Rorem, eut lieu dans le palais de Mimi, en mars 1955[1]). Les Pecci-Blunt ont eu cinq enfants: un fils, Dino (Ferdinando), et quatre filles, Laetitia, qui a épousé don Alberto Boncompagni, prince de Venosa, Viviana, épouse du comte Delle Porta, Camilla, mariée à un Américain et Graziella, mariée à Henri de Beaumont, l'héritier de ce qui devait plus tard rester de la fortune un peu ébréchée d'Étienne de Beaumont.

Les goûts de Pecci-Blunt étaient assez éclectiques. Il perdit bientôt la tête pour un jeune homme du nom de Cecil Everley, lequel avait eu peu de temps auparavant une brève aventure

---

1 Né en 1923, le compositeur américain Ned Rorem a effectué plusieurs séjours en Europe après-guerre, et à Paris plus particulièrement, où il bénéficia du soutien de la vicomtesse de Noailles. En revanche, son cycle de cinq mélodies pour piano, baptisé *War Scenes,* n'a été composé qu'en 1969, en hommage aux soldats américains tombés au Viêt Nam, il est donc impossible que la création en ait été faite à Rome en 1955. Il s'agit plus vraisemblablement de l'œuvre *Fours dialogues for two voices and two pianos,* composée, elle, en 1954, et donnée effectivement chez la comtesse Pecci-Blunt, à Rome, le 23 mars 1955.

avec Arturo Lopez. Sur l'origine de leur rencontre, les versions diffèrent mais on prétend qu'il avait fait la connaissance d'Everley alors que ce dernier était encore vendeur chez Lillywhite's[1], le grand magasin londonien. Avant cela, Everley, joli garçon mais terriblement ennuyeux, connu surtout pour son joli petit postérieur, avait été valet de pied chez le célèbre lord Beauchamp, celui-là même qui avait dû fuir précipitamment l'Angleterre quand ses liaisons homosexuelles avaient commencé à défrayer la chronique.

On raconte à son sujet l'anecdote suivante : le duc de Westminster était allé rendre visite à sa sœur, lady Beauchamp, pour la mettre en garde contre le scandale imminent. La pauvre femme était totalement dépassée par la situation : « Mais enfin Bendor, lui répondit-elle, je ne comprends pas ce que vous voulez me dire, vous êtes en train de m'expliquer que Beauchamp joue du clairon, c'est cela ? »

Il existe aussi une autre version sur l'origine de la rencontre entre les deux amants : Cecil Everley était l'infirmier d'une vieille lady, quelque part dans le sud de la France, situation sans perspective aucune jusqu'à ce que Alice De Lamar, une riche lesbienne qui vivait à l'écart de la société mais possédait des appartements à Paris, à Palm Beach et dans le Connecticut, lui dise un jour : « Cette situation est ridicule, venez plutôt avec moi aux États-Unis ! » Et de l'inviter à la suivre à New York où Cecil s'installa avec elle au San Regis. C'est là qu'il devait faire la connaissance d'Arturo Lopez, d'où la brève romance évoquée plus haut.

Pour ma part, je crois plutôt que Pecci-Blunt était d'abord tombé amoureux d'un jeune Autrichien et qu'il l'avait invité à le rejoindre en Californie. Le jeune homme en question était très lié avec Cecil Everley, aussi lui proposa-t-il d'être lui aussi du voyage. Survint alors un terrible accident de voiture et l'Autrichien se trouva immobilisé à l'hôpital pendant un certain temps. Cela n'empêcha pas Everley de se rendre malgré tout en Californie… et Pecci-Blunt tomba amoureux de lui.

Durant des années, Pecci-Blunt se partagea entre Mimi et Everley. Mimi était furieuse quand elle découvrit que son mari avait un amant, mais ils restèrent finalement bons amis, et dans le monde on ne parla plus de la pauvre épouse délaissée que comme "la reine des Deux-Cecils".

Pecci-Blunt possédait un ranch à Santa Barbara où Mimi ne mettait jamais les pieds. Un soir, on y organisa une soirée "cow-boy" où tous ces messieurs portaient des chemises de satin avec des clous en diamants et des pantalons taille basse destinés à mettre en valeur leurs colts…

---

1 Célèbre chaîne de magasins d'articles de sport britannique dont la maison mère se trouve sur Piccadilly, à Londres.

Comme Pecci-Blunt était assez pingre, il fit fermer le bar à minuit et un peu plus tard dans la soirée, il alla jusqu'à réclamer trois dollars cinquante à ses invités pour frais de participation à l'orchestre !

Il acheta pourtant une maison à New York qu'il offrit à Everley. Celui-ci y disposait d'un appartement et pouvait mettre les autres en location. Il lui offrit aussi une villa au Cap d'Ail, baptisée La Rondine. Everley devint par la suite une sorte de familier de Greta Garbo, dans les années où Cecil Beaton s'intéressait à elle. Cette proximité avec la star mettait Beaton hors de lui, et il parlait généralement d'Everley comme d'une "petite tapette à la voix de chantre". Il n'était pas le seul qu'Everley agaçait : un jour que ce dernier demandait naïvement à Daisy Fellowes si le yacht dont elle venait de se défaire lui manquait, celle-ci lui répondit du tac au tac : « Et vous, votre plateau de larbin, il vous manque ? »

Les Pecci-Blunt finirent par mourir, mais Cecil Everley leur survécut. Quelques années plus tard, il se mit en ménage avec un coiffeur à Palm Beach et commença à peindre d'horribles compositions florales et des paysages sans intérêt qu'il exposait ensuite à Phoenix, à Palm Beach et jusqu'au Venezuela, les vendant à des vieilles dames trop contentes de s'attacher ainsi sa compagnie lorsqu'elles sortaient dans le monde. Il fit même dresser un catalogue des collections dans lesquelles on trouvait ses peintures, liste qui incluait aussi bien l'Aga Khan que Giovanni Agnelli, Greer Garson, et même Greta Garbo à qui sans doute il en avait offert un !

Je le rencontrais occasionnellement. Il vint à Paris dans les années 1980, déjà très diminué par le SIDA d'après ce qu'assurait la rumeur, et il fut très vexé de ne pas avoir été invité à un bal que donnait Hubert Pantz, pourtant l'un de ses vieux amis. Sans doute ce dernier ignorait-il simplement sa présence à Paris. C'est la dernière fois que je le vis. Il se rendait dans le sud de la France mais souffrait déjà de la tumeur du cerveau qui nécessita bientôt qu'on le rapatrie à Palm Beach, où il mourut.

Quand Cecil Everley s'installa avec Cecil Pecci-Blunt, j'étais à New York, cela se passa durant l'été 1941.

Lucius Beebe

On pouvait difficilement être à New York à cette époque-là sans connaître Lucius Beebe, et je l'ai moi-même un peu fréquenté.

C'était le temps où les échotiers écrivaient beaucoup sur les stars et sur les personnes de la haute société, tout à fait le cercle dans lequel je gravitais. Ils voulaient savoir qui dînait avec qui ? où ? quelle tenue on avait portée, savoir aussi les premiers quelle était la nouvelle personnalité

Lucius Beebe, célèbre *columnist* de la presse mondaine américaine des années 1930-1940.

40

du moment. En fait, ce qu'ils publiaient n'avait aucune importance mais cela pouvait parfois se révéler préjudiciable parce que les Américains attachent beaucoup d'importance à ce qu'ils lisent dans la presse.

Je me souviens que dans les années 1950, Cholly Knickerbocker avait écrit des choses horribles sur moi dans ses potins de commère, et cela m'ennuyait beaucoup. Tout cela parce que peu de temps auparavant, alors qu'Étienne et Edith de Beaumont s'apprêtaient à donner leur bal des Rois à Paris, Hubert Pantz leur avait demandé s'il pouvait s'y rendre accompagné d'Igor Cassini (le frère du célèbre couturier Oleg Cassini). Les Beaumont m'avaient consulté et je leur avais expliqué que Cassini était un chroniqueur mondain, écrivant alors sous le nom de plume de Cholly Knickerbocker. Suivant mon conseil, ils avaient alors fait savoir à Pantz que son ami ne pourrait pas l'accompagner.

Peut-être avaient-ils avoué à Pantz que c'est moi qui leur avais conseillé d'agir ainsi et, de mon côté, j'ignorais alors que Pantz travaillait aussi à l'occasion pour Cassini. Comme on peut le penser, ce dernier fut absolument furieux et dès que j'arrivai à mon tour à New York, il se mit à écrire sur moi des choses insensées quasiment tous les jours.

Imaginez quelle fut ma surprise, le jour où j'allai au restaurant Le Pavillon, excellente table, et que la maîtresse des lieux me dit : « C'est formidable, chaque jour je lis des choses sur vous et aujourd'hui, je vous vois en chair et os ! »

Lucius Beebe était le meilleur chroniqueur mondain de cette époque, et tout le monde en était bien conscient à New York. À partir de 1934, il se mit à tenir une chronique intitulée *"This is New York"* dans le *New York Herald Tribune*. Il était sans rival alors. Il y avait aussi ce fameux Cholly Knickerbocker dont j'ai parlé – à cette époque, il s'appelait encore Maury H. B. Paul, petit rondouillard venu d'on ne sait où, qui se disait originaire de Philadelphie et dont la chronique était publiée par Randolph Hearst dans le *Journal*. Ses remarques étaient reçues comme des oukases par ceux qui en étaient la cible. En ville, on considérait qu'un éloge de sa part vous mettait sur un petit nuage mais qu'une seule de ses critiques équivalait à un coup de poignard mortel.

Il y avait un autre gazetier célèbre à l'époque : Walter Winchell, mais Lucius Beebe était de loin le meilleur. Il était d'une élégance vestimentaire rare et ses manières étaient tout à fait en harmonie avec ce raffinement. Il vivait avec cent dollars par jour, même au plus sombre moment de la dépression. Il possédait sa propre voiture de chemin de fer et l'on raconte qu'il partit un matin couvrir un incendie, portant encore sa jaquette.

Il écrivait des papiers portant sur les neuf Rolls-Royce de Doris Duke (même si elle n'en avait jamais possédé autant), affirmait que le salon de Mme Ona Munson était encombré de pianos, ou bien encore que le maître d'hôtel des Vanderbilt avait été congédié pour avoir répondu « O.K. madame ». Il aimait émailler ses articles de mots en français, n'écrivant jamais *hat* ni *street* chaque fois que "chapeau" et "faubourg" pouvaient s'employer.

Ce Mr Beebe avait une existence haute en couleurs, ayant commencé par se faire exclure d'à peu près toutes les écoles où on l'avait inscrit, jusqu'à Yale dont il s'était fait renvoyer pour être un jour, durant un spectacle burlesque à New Haven, grimpé sur scène et balancé au public une bouteille de whisky en criant : « Je suis le professeur Tweedy de la Yale Divinity School ». Il était finalement sorti diplômé de Harvard.

Sa chronique portait sur les trois ou quatre cents personnes qu'on retrouvait généralement dans sept ou huit restaurants de la ville. Voilà le genre de souvenirs qui me reviennent en mémoire quand j'évoque le New York de ces années-là.

Beebe ne possédait pas moins de quarante costumes et l'on retrouvait fréquemment son nom dans la liste des personnes les mieux habillées du moment. Jérôme Zerbe fit un jour une série de clichés de lui, décomposant les différentes étapes de sa toilette, depuis la douche jusqu'au moment de s'habiller ; on le voyait passer d'une robe de chambre qui aurait pu être dessinée par Noël Coward à un costume de soie à la boutonnière duquel il avait fixé un gardénia. Il avait une telle passion pour cette fleur qu'un joaillier lui en avait fabriqué une en diamants. Chaque nuit, on pouvait croiser Mr Beebe dans une boîte appelée El Morocco[1], et c'est certainement là que je me trouvais quand je fis sa connaissance. Je dois dire que j'ai toujours été d'accord avec l'une de ses expressions favorites : « Je ne veux que le meilleur, mais les occasions de le trouver sont rares. »

*
* *

S'il y a quelque chose qui n'était pas rare en revanche, c'était bien les occasions de s'amuser. Nous passions nos nuits dans des boîtes telles que le Stork Club[2], El Morocco ou bien

---

1 D'abord simple bar clandestin durant la prohibition, El Morocco (souvent surnommé El'mo) devint par la suite une adresse à la mode, au sud de la 54e rue, à New York. La Café Society prit l'habitude de s'y retrouver durant les années 1930 et jusqu'à la fin des années 1950. Jerome Zerbe en était le photographe de presse attitré.

2 Situé sur East 51st Street, le Stork Club était lui aussi un ancien bar clandestin devenu par la suite une des

encore le Blue Angel[1], où le jeune Yul Brynner chantait et faisait ses débuts. C'est là que nous nous sommes croisés pour la première fois, avant de devenir de vrais amis. Yul interprétait des mélodies russes en s'accompagnant d'une guitare, il était alors le protégé de la princesse Chavchavadze, une Américaine née Ridgeway.

C'était avant qu'il ne connaisse ses premiers succès dans des films et des comédies musicales. Je le vois encore à New York dans *Le roi et moi*[2]. Ce fut un immense succès et il commença alors à se prendre pour une star. Il possédait une énorme limousine aux vitres teintées qui l'amenait jusque dans les coulisses du théâtre, où il prenait un ascenseur réservé afin d'échapper à ses admiratrices. C'était également un photographe de talent, et il a conservé une photo de moi dans un livre qu'il a publié.

Cette époque aimait tellement l'extravagance que je me souviens même être allé un soir au Stork Club avec l'un des chiens d'Elsie Mendl ! Nous dînions également très souvent au Pavillon, dont j'ai déjà parlé.

Un soir que j'y dînais, j'y retrouvais Aliki Weiller[3], l'épouse de l'industriel français Paul-Louis Weiller alors retenu prisonnier en France par les Allemands. Elle s'était elle aussi réfugiée à New York, avec son fils.

Quittant ma table ce soir-là, je retournai à l'hôtel où je vivais mais à peine m'étais-je couché qu'un policier vint frapper à ma porte : il m'apprit qu'un diamant avait été perdu dans le restaurant où je venais de dîner et qu'on pensait à un vol. J'avais été identifié parmi les dîneurs, j'étais donc suspect comme les autres[4].

Aliki Weiller était l'épouse de Paul-Louis Weiller, un homme extrêmement riche, mais le couple était séparé comme je l'ai dit. Quand la guerre éclata, Paul-Louis envoya sa femme

boîtes de nuit les plus courues de New York. Il ferma ses portes en 1965.

1   Autre boîte de nuit new-yorkaise, fondée en 1943 par Herbert Jacoby. De nombreux chanteurs y firent leurs débuts, de Yul Brynner, pendant la guerre, à Barbra Streisand, beaucoup plus tard.

2   Célèbre comédie musicale composée par Oscar Hammerstein et Richard Rogers, créée à Broadway en 1951, avec Yul Brynner dans le rôle-titre.

3   Née Aliki Diplarakos, issue de la bonne société athénienne, ancienne "miss Europe". Le mariage eut lieu le 22 octobre 1932.

4   Cet épisode est également mentionné par J. Mousseau, dans *Le siècle de Paul-Louis Weiller*, Paris, 1998.

Avec Blue-Blue,
le caniche d'Elsie Mendl
au Stork Club à New York,
vers 1941.

44

en Amérique avec leur fils unique : Paul-Annick, et il mit en sécurité sa collection de bijoux composée de joyaux de belle taille et d'une valeur inestimable. Par la suite, Paul-Louis fut arrêté mais parvint à s'échapper. Sa première intention fut de rejoindre sa femme. Il fit en sorte de partir pour les États-Unis mais n'y fut pas autorisé, aussi dut-il d'abord se résoudre à séjourner à Cuba, puis au Canada. Aliki n'avait jamais vraiment été très heureuse dans son couple : Paul-Louis était un homme de tempérament mais il n'était pas facile à vivre. Quand elle arriva à New York, elle prit la décision de se séparer de lui et, avec sa sœur, s'ingénia à tout faire pour lui rendre impossible un séjour en Amérique. Ce fut le début d'une histoire longue et compliquée, avec toute une série d'accusations de part et d'autre, saga dans laquelle, au FBI, Edgard J. Hoover joua lui-même un rôle certain.

Aliki possédait donc de très belles pierres et c'est l'une d'elles qui avait disparu ce soir-là au restaurant. Quoi qu'il en soit, je ne l'avais pas dérobée et n'avais donc rien à me reprocher, je fus donc assez content que la police effectue chez moi cette visite de routine, aussi désagréable et intrusive qu'elle pût être. On retrouva le diamant peu de temps après, caché dans les toilettes du restaurant. C'était une histoire assez étrange, et il se murmura qu'Aliki avait très bien pu elle-même le placer là de manière à pouvoir prétendre ensuite à un dédommagement de la compagnie d'assurances.

Ma vie prit bientôt un tournant, comme cela arrive parfois sous le coup du hasard. Lucy Shirazi était venue me prendre pour aller dîner dans un restaurant new-yorkais à la mode, appelé Le Bruxelles.

À quelques tables de nous était assis un Chilien du nom d'Arturo Lopez, qui dînait là en compagnie de son père M. Lopez-Perez, et de la seconde épouse de celui-ci. Apparemment, Arturo me remarqua cette nuit-là. Pour ma part j'ignorais qui il était, quant à Lucy, si elle voyait vaguement de qui il s'agissait, il ne lui était pas familier.

Quelques jours plus tard, je me trouvai au Morocco où l'on nous donnait toujours une bonne table car nous étions bons danseurs. Nous y croisâmes à nouveau Arturo Lopez, accompagné cette fois de son épouse, Patricia. Il remarqua ma présence mais nous n'échangeâmes pas un mot.

Puis, à quelque temps de là, le 4 juin 1941, je reçus une invitation de Mr Guggenheim, l'oncle de la célèbre collectionneuse d'art, Peggy Guggenheim, qui me priait d'assister au grand bal de charité donné par Mrs Cornelius Vanderbilt en faveur des Alliés, dans son immense hôtel particulier de la 5e avenue. Cette Mme Vanderbilt était l'hôtesse la plus lancée de la société new-yorkaise, elle était immensément riche et assez altière. Tous les après-midi, elle tenait audience

Arturo Lopez,
à l'hôtel Lambert en 1952.

46

dans sa bibliothèque où un secrétaire particulier était chargé de consigner ses hauts faits, lesquels occupaient cent quatorze volumes de l'annuaire mondain new-yorkais. Chaque année, l'entretien de la maison exigeait au moins le quart d'un million de dollars à lui tout seul. Ses réceptions étaient les plus somptueuses de New York et elle était elle-même, en toute occasion, celle qui portait les toilettes les plus coûteuses, à défaut d'être les plus chics.

C'est durant ce bal qu'Arturo m'adressa la parole pour la première fois, me laissant même son numéro de téléphone au San Regis[1]. Il m'avoua qu'il était amoureux de moi et me pria de le rappeler. Je m'exécutai et dès le lendemain nous déjeunions tous les deux. Nous nous arrangeâmes pour nous retrouver le soir même. Comme il n'était pas envisageable qu'on nous surprenne dînant en tête à tête, nous fûmes contraints de nous retrouver dans un petit hôtel sordide, au coin de Madison Avenue et East 55th Street.

Il était totalement subjugué. De mon côté je n'étais pas amoureux. Comme je l'ai déjà dit, la seule personne que j'ai jamais aimée, c'est ce jeune Polonais dans mon pensionnat. Mais j'avais besoin d'une protection et je savais qu'il pouvait me l'offrir. Je suppose qu'il est très difficile d'aimer quelqu'un dont on dépend financièrement. Je me plais à décrire notre relation comme une sorte d'amitié amoureuse, elle devait durer jusqu'à sa mort en 1962.

Arturo voulait m'installer. La première personne avec qui j'ai eu une aventure, ce fut lui. Je dois en dire plus sur Arturo et sur ce qu'avait été sa vie avant que je ne le rencontre. Si son nom est peu connu du grand public, son influence parmi les grands collectionneurs du XXe siècle est incontestable et, pour tous les spécialistes de ce domaine, il reste même une légende. Arturo était Chilien, les Lopez sont originaires de ce pays. Ils faisaient partie de ces quelques riches familles venues ensuite en Europe. L'habitude au Chili veut qu'on prenne le nom de son père, auquel on accole celui de sa mère. Si le père d'Arturo s'appelait Lopez-Perez, lui s'appelait Lopez-Willshaw. Son père était un financier qui possédait une très grosse fortune reposant en partie sur l'extraction de l'étain, même si l'origine de la fortune familiale provenait du guano, qu'on utilisait alors comme engrais.

Arturo était né le 20 juin 1900, il avait grandi à Paris où il était resté jusqu'à l'âge de 8 ans. Il avait totalement transformé l'hôtel particulier qu'il avait acheté dans les années 1920 à Neuilly, avec l'aide de Paul Rodocanachi tout d'abord puis, après la mort de celui-ci, avec celle de Georges Geffroy. C'est là que se trouvaient ses collections de mobilier ancien et d'objets d'art. Arturo

---

1 Célèbre hôtel de luxe new-yorkais situé sur 2 East 55th Street.

avait une tendresse toute particulière pour les styles Louis XIV, Louis XV et Louis XVI. L'hôtel particulier est devenu au fil du temps un Versailles en miniature et constitue désormais le musée de Neuilly. Je devais découvrir l'endroit par la suite, à mon retour en Europe, et j'aurai l'occasion d'y revenir.

Arturo avait mené une existence assez libre dans sa jeunesse. Il était homosexuel. Il avait pris de la drogue, avait beaucoup bu, il aimait les voitures de course, les boîtes de nuit, et il allait danser tous les soirs – jusqu'au bout de la nuit – aux Folies Bergère. À la fin des années 1920, il avait eu une liaison avec l'une des Rocky Twins, deux sœurs jumelles originaires du Danemark qui se produisaient en duo. C'est lui qui les présenta ensuite à Mistinguett. Il les avait repérées au Kit-Kat Club et les lui avait envoyées. Un jour, Arturo avait lancé à Mistinguett : « Et si nous allions à Budapest voir le spectacle des Rocky Twins ? » Et il avait loué aussitôt un avion privé pour leur permettre de s'y rendre. En 1929, partir ainsi par avion et sans bagages ne pouvait qu'attirer la curiosité des douaniers. À leur arrivée, ceux-ci procédèrent à une fouille en règle mais ne trouvèrent rien. Ils arrivèrent tous deux à Budapest, assistèrent au spectacle des deux sœurs, puis repartirent pour Paris.

Mistinguett fut par la suite la vedette d'un show avec les Rocky Twins aux Folies Bergère, spectacle ébouriffant auquel participèrent également les Jackson Boys, huit hommes avec lesquels elle dansait un one-step qui devait devenir le refrain le plus populaire de cette revue. Il commençait ainsi : « Je suis née, dans l'faubourg Montmartre ».

L'une des deux Rocky Twins était la maîtresse d'Arturo. Chaque soir, il envoyait sa Rolls l'attendre devant le théâtre afin de la ramener ensuite à la maison. Quand la liaison avec la jumelle fut établie, il la présenta un jour à son chauffeur en lui disant : « C'est Madame ! »

Par la suite, il se sentit attiré par une vie un peu plus riche au plan culturel, il devint alors l'ami de Marie-Laure de Noailles, qui était elle aussi à New York à cette époque, et celui de "Johnny" Lucinge, alias le prince Jean-Louis de Faucigny-Lucinge.

Charles de Noailles avait commandé à Jean Cocteau un film qui, à l'origine, devait être un dessin animé. Ce fut en fait *Le sang d'un poète,* qui n'est pas exactement un film surréaliste même s'il est souvent présenté comme tel, mais plutôt un pastiche du surréalisme. Cocteau avait coutume de dire qu'il avait essayé de faire une sorte de poésie filmée de la même manière que les plongeurs sous-marins filment la vie sous-marine depuis les profondeurs…

Cocteau avait demandé à ses amis de venir s'asseoir dans la loge d'un théâtre, habillés exactement comme ils l'auraient été s'ils avaient assisté à une première, en robe de soirée,

parés de bijoux, bavardant joyeusement, s'amusant au spectacle et applaudissant à l'occasion. Marie-Laure y était, ainsi qu'Iya (lady Abdy) et Arturo. Malheureusement, les choses ne se passèrent pas très bien quand le film fut projeté lors de l'avant-première, les acteurs découvrant soudain qu'on leur avait demandé de rire devant une scène de suicide qui faisait en fait partie du scénario mais dont on ne leur avait rien montré. On exigea que certaines scènes fussent tournées de nouveau et Cocteau accepta, remplaçant la scène de suicide par une prestation de Barbette, l'acrobate androgyne d'origine texane, alors très célèbre. Cela ne devait hélas pas suffire à faire retomber l'émoi provoqué par le film à sa sortie en 1931, et Charles de Noailles préféra prendre les devants en démissionnant du Jockey Club de peur qu'on ne le lui demande plus tard.

En 1937, avec l'espoir d'avoir un jour des enfants, Arturo s'était marié avec une cousine éloignée, Patricia Lopez-Huici, mais le couple n'eut pas ce bonheur. Arturo et elle restèrent ensemble en dépit de leurs goûts différents. Patricia était une figure du Tout-Paris. Elle était la petite-nièce de cette Mme Eugénie Errazuriz, encensée en son temps et dont l'influence sur le goût du XXe siècle est indéniable. C'est d'elle que Cecil Beaton a écrit : « Son influence sur le goût des cinquante dernières années a été si importante que tout le mouvement esthétique en matière de décoration intérieure, et jusqu'à certains principes de base comme cette quête de la simplicité si recherchée aujourd'hui, doit lui être attribué ». Dans les années 1920, elle occupait l'une des ailes de l'hôtel d'Étienne de Beaumont, mais par la suite elle se fixa à Biarritz.

Soirée d'anniversaire
de Mme Arturo
Lopez-Willshaw.

Je ne l'ai rencontrée qu'une fois, à Biarritz, peu de temps avant qu'elle ne rentre au Chili, sa patrie, pour y mourir, âgée de 90 ans. Ce voyage fut d'ailleurs le premier qu'elle effectua en avion.

Patricia Lopez était considérée comme l'une des femmes les plus élégantes de Paris. Un jour, comme elle rendait visite à sa grand-tante vêtue d'une veste jaune et coiffée d'un petit chapeau noir rehaussé d'un nœud jaune, sa tante, toujours très critique, lui fit la remarque que le nœud jaune constituait une impardonnable faute de goût. Mme Errazuriz estimait qu'une femme peut à la rigueur porter une tenue monochrome, ou au contraire arborer une tenue multicolore, mais qu'elle ne doit jamais rappeler la couleur d'un vêtement sur un autre. Elle eut une grande influence sur le goût de Patricia.

Arturo mettait un soin particulier à suivre la manière dont sa femme s'habillait, choisissant lui-même ses tenues. Le magazine *Fashion* publia en 1950 une photographie de Henry Clarke, qui montrait son épouse portant une robe de bal faite de centaines de mètres de galons militaires tout dorés qu'on avait cousu sur une véritable pelouse de satin gris, il en avait été malade. La robe avait été dessinée par Charles James, un couturier brillant mais roublard, petit bonhomme amusant mais toujours à court d'argent. Un de ces dilettantes doués dont le caractère impossible empêche toujours leur talent d'être reconnu. Arturo était non seulement en rage contre lui à cause de cette photo mais aussi parce qu'il refusait qu'on se serve de sa femme pour se faire de la publicité à bon compte.

Aujourd'hui, certaines des tenues de Patricia figurent, grâce à sa générosité, dans les collections de grands musées, et pas seulement à Paris.

Arturo avait également commandé le portrait de son épouse à Leonor Fini, on l'a accroché par la suite 14, rue du Centre, à Neuilly. Il demanda également à leur ami sicilien Fulco di Verdura de dessiner pour elle des bijoux. J'ai le souvenir d'une broche figurant un dodo, inspirée d'un bijou hollandais du XVIe siècle que possédait Arturo et dont le nouveau devait être le pendant.

Arturo et Patricia étaient bons amis mais leur mariage n'était que de convenance. Cela ne signifie pas pour autant qu'Arturo tolérait la moindre intrusion dans son couple. Avant-guerre, le couturier Lucien Lelong était tombé amoureux de Patricia. Lelong était connu pour le style "à la garçonne" qu'il avait développé avec Chanel et Jean Patou. C'est lui qui repéra Christian Dior et Pierre Balmain avant qu'ils ne créent chacun leur maison de couture. Il avait d'abord été marié à Anne-Marie Audoy, puis, en 1927, il avait épousé Nathalie Paley, petite-fille du tsar Alexandre II, issue du mariage morganatique du grand-duc Paul. Durant leur mariage, il avait eu une longue liaison avec un de ses mannequins qui devait mourir de tuberculose, le laissant inconsolable. Dans le même temps, Nathalie et lui semblaient heureux en public, fréquentant les Beaumont, les Noailles, ainsi que Cole Porter et son épouse. Ils finirent par se séparer en 1937. Cette même année, elle épousa l'impresario de Noël Coward (et son ancien amant), Jack Wilson.

Dès que la guerre fut finie, Lucien Lelong vint à New York et avoua à Patricia qu'il souhaitait l'épouser, mais Arturo ne l'entendait pas de cette oreille et se montra là-dessus très clair. Lelong s'en revint donc seul à Paris. Il mourut en 1958, dans les Basses-Pyrénées.

*
* *

Je reparlerai plus loin de toutes ces personnes dont l'influence a été déterminante sur le goût actuel. Ce petit nombre a eu une influence réelle, ouvrant la voie aux autres sans attirer l'attention sur eux, modifiant par petites touches l'existence de tant de gens. Il y a des mécènes dans le domaine de la littérature, qui découvrent avant les autres les grands écrivains dont ils assurent ensuite la promotion, il y a des mécènes dans le domaine des arts qui tirent des artistes de l'obscurité, et il y a ceux qui, dans le domaine de la mode, montrent la voie, qu'il s'agisse de décoration d'intérieur, des vêtements ou même de l'art de composer un bouquet.

C'était le cas d'Elsie Mendl par exemple. Elle avait ses habitudes au San Regis et l'on peut dire qu'elle a eu sur moi une grande influence. Arturo et elle étaient très liés, il l'admirait beaucoup.

Arturo Lopez, en 1951.

Il était collectionneur au plus haut degré et elle, de son côté, possédait cet art consommé de produire l'impression et d'obtenir un maximum d'effet sans jamais en faire trop. Cyril Connolly a très bien repéré cette différence qui existait entre eux quand il a écrit que dans la maison d'Arturo, en termes de décoration : « l'authenticité régnait en maître et qu'il ne s'agissait pas de pastiche ».

Ma relation avec Arturo et Patricia n'était pas simple. Patricia ne m'aimait guère, ce qui peut se comprendre. Nous avons été distants l'un de l'autre durant des années puis, à la mort d'Arturo, nous sommes devenus bons amis. Aujourd'hui, il lui arrive même souvent de me dire qu'elle a découvert ma vraie personnalité ! Elle sollicite souvent mon avis, et je passe chaque été quelques jours avec elle dans sa maison du sud de la France. Il fut un temps où cela nous aurait paru impossible à l'un comme à l'autre.

Arturo était un homme bon et généreux. Je savais que je pouvais avoir confiance en lui. Patricia et lui habitaient quasiment un étage entier au San Regis, c'est là qu'ils passèrent l'essentiel de la guerre. Il leur était impossible de rentrer en France avant la fin du conflit. Le père d'Arturo était lui aussi obligé de rester à New York, pour la même raison. J'emménageai bientôt à mon tour dans une chambre de cet hôtel et pour la première fois, j'eus l'impression d'être enfin chez moi.

Le père d'Arturo, M. Lopez-Perez me procura un emploi dans une maison de change qu'il utilisait pour ses affaires. Elle s'appelait Herzfeld & Stern mais n'existe plus aujourd'hui. Je m'y débrouillai assez bien. C'est comme si j'avais compris d'instinct comment les choses fonctionnaient. Il est vrai que je n'avais jamais été trop mauvais en arithmétique à l'école. M. Lopez-Perez m'encourageait. Il avait toujours été déçu que son fils ne s'intéresse qu'aux arts. Il me prit sous son aile, je pense que l'implication que je mettais dans mon travail lui plaisait. Il me dit un jour que tout ce que je touchais se changeait en or !

Dès que j'avais du temps libre, je le passais avec Arturo, explorant ensemble les magasins d'antiquités, particulièrement la célèbre boutique d'orfèvrerie de Jacques Helft[1] sur la 57e rue. Arturo aimait collectionner, c'était en fait la grande passion de sa vie. Il avait fait son premier achat quand il n'avait encore que 21 ans. Il a fait mon éducation en matière artistique. Nous

---

1 Sem Jacques Helft (1891-1980), antiquaire et expert en orfèvrerie française. Beau-frère et associé du galeriste Paul Rosenberg, il avait comme lui été contraint de quitter Paris durant l'Occupation. Réfugié à New York, il avait ouvert une galerie sur la 57e rue. Il revint à Paris en 1948.

allions dans les musées, les galeries et chez les antiquaires. J'étais un élève désireux d'apprendre, et avec l'aide d'Arturo, j'étais enfin à même de satisfaire ma passion du luxe et des beaux objets.

Parfois, Arturo et moi nous échappions en Californie. C'est d'ailleurs ce que nous fîmes peu de temps après notre rencontre, louant un appartement où, sur le même palier, habitait un jeune acteur du nom de Ronald Reagan. Il vivait là avec sa première épouse, Jane Wyman[1], et je pris vite goût à sa compagnie.

Quand les États-Unis entrèrent en guerre à leur tour, en 1942, le gouvernement américain m'adressa une sorte d'ultimatum : soit je rendais mon permis de séjour, la fameuse carte verte, et j'arrêtais de travailler, soit je rejoignais l'armée pour combattre. Arturo me dit aussitôt : « Rends ton permis de séjour et je te donnerai un million de dollars quand nous rentrerons en Europe ». Le choix était évident : cet argent m'assurerait enfin la sécurité que je recherchais depuis si longtemps, il me permettrait aussi d'assurer à ma sœur, toujours confinée dans sa clinique en Suisse, les soins dont elle avait besoin. J'acceptai donc l'offre d'Arturo.

Je passai avec Arturo les quatre années suivantes à New York, jusqu'à ce qu'il reparte avec sa femme pour l'Europe, en 1945. Je restai à New York, demeurant toujours au San Regis, mais je m'étais fait désormais quelques amis.
Si Patricia et Arturo étaient partis en 1945, j'eus quant à moi la possibilité de retourner à Paris en 1946, en partie pour y représenter là-bas la maison de change dans laquelle je travaillais, mais en fait surtout pour retrouver Arturo.
J'étais heureux de quitter l'Amérique où j'en avais appris assez. Il n'est pas si fréquent d'avoir réussi à New York à seulement 19 ans.

---

1 Née Mayfield, l'actrice américaine Jane Wyman (1917-2007) fut en effet l'épouse de Ronald Reagan de 1940 à 1948. Le couple eut deux enfants et en adopta un troisième.

Ma chambre
à l'hôtel Meurice,
gouache d'Alexandre
Serebriakoff, vers 1948.

Retour à Paris

COMME JE L'AI DIT, J'ARRIVAI À PARIS AUX CÔTÉS D'ELSIE MENDL. C'était une époque absolument incroyable pour débarquer à Paris.

N'ayant pas d'endroit où aller, je m'installai au George V, sur l'avenue du même nom. La plupart des hôtels de la capitale étaient alors pris d'assaut par les diplomates et les hommes politiques, occupés à préciser les termes de la paix mettant fin à la Seconde guerre mondiale. Parfois, les restaurants de ces hôtels étaient eux-mêmes réquisitionnés par l'armée : c'était le cas du George V que le gouvernement américain s'était attribué. Je dus ainsi déménager plusieurs fois. Au Raphaël tout d'abord, puis au Meurice, là même où mon père avait séjourné avant-guerre.

Je résidai là durant les deux années qui suivirent, en 1947 et 1949 et j'eus la joie de découvrir que mon père y avait laissé quelques meubles et objets d'art dont je pus rentrer en possession. Il avait là quelques toiles de qualité. Je les vendis par la suite pour acheter des choses plus en rapport avec mon intérieur du Lambert.

Je représentais Herzfeld & Stern à Paris, mais comme la maison de change n'avait pas de bureaux dans la capitale, je travaillais depuis le domicile du père d'Arturo, avenue de Wagram. Au fil du temps, mon travail consista de plus en plus à gérer la fortune des Lopez.

Le jour qui suivit mon arrivée à Paris, l'occasion tant attendue de visiter la maison d'Arturo à Neuilly se présenta enfin, et je pus ainsi voir de mes propres yeux ce qui constituait sa plus belle réussite. J'en avais beaucoup entendu parler naturellement, j'en avais vu aussi des reproductions. J'avais par ailleurs souvent accompagné Arturo, lors de ses expéditions chez les antiquaires new-yorkais, afin d'acheter quelques beaux objets pour cette maison dans laquelle son épouse et lui étaient de retour depuis un an. Arturo avait un talent fou pour dénicher les objets rares, et sa collection était vraiment exceptionnelle.

L'histoire du 14 de la rue du Centre exerçait sur moi une véritable fascination. Paul Rodocanachi[1] l'avait fait construire au début du XXᵉ siècle. Homme cultivé, c'était aussi un passionné d'architecture. Un jour, il décida de bâtir la maison de ses rêves et se mit pour cela à lire de nombreux ouvrages sur la Renaissance. Il acheta ensuite un terrain à Neuilly-sur-Seine, en bordure du parc

---

1 Architecte, décorateur et collectionneur, Paul Rodocanachi (1871-1952) était issu d'une ancienne famille grecque originaire de Chios. Une partie de la famille s'était établie à Marseille au XIXᵉ siècle où elle fit fortune dans les affaires. En 1903, Rodocanachi avait acheté un terrain à Neuilly-sur-Seine et y avait fait bâtir un hôtel particulier qu'il vendit par la suite à Arturo Lopez.

de Saint-James où se trouvaient déjà plusieurs villas, et il commença à concevoir un pavillon qui était un peu plus qu'un hôtel particulier, un peu plus qu'une folie, sans être à proprement parler un véritable château. Il dessina ensuite lui-même les meubles destinés à orner sa demeure puis demanda à un entrepreneur de lui donner vie.

Malheureusement, en 1926, Rodocanachi prit conscience que la maison lui coûtait trop cher à entretenir. Il décida alors de la vendre à Arturo qui, du haut de ses 26 ans, était pour lui une sorte de disciple et était lui aussi passionné d'architecture et de mobilier. Si Arturo partageait la plupart des vues et des idées de Rodocanachi, ses goûts le portaient en revanche vers un style un peu plus "campagne", quelque chose dans l'esprit de Marly par exemple.

Rodocanachi avait accepté une certaine somme d'argent du père d'Arturo pour transformer la maison mais par la suite, il fit savoir à Arturo qu'il n'en avait en fait pas besoin. Il lui proposa d'utiliser cet argent pour donner à la maison un style plus en rapport avec ses goûts. Peu de temps après, le père d'Arturo décida de venir voir par lui-même où en étaient les travaux de la maison qu'il avait achetée à son fils. Après avoir pénétré dans la cour et poussé la porte, il se retrouva face à un trou béant, au beau milieu du terrain. Les murs de la maison étaient toujours debout mais celle-ci n'était plus qu'une coquille vide : tout était à refaire !

Horrifié, M. Lopez-Perez coupa sur-le-champ les crédits à son fils. Cela n'empêcha pas Arturo de se lancer dans la dépense, sans retenue, d'acheter ici des cheminées et là des boiseries, et de faire placer deux "L" entrelacés sur la façade, dans un style assez proche de celui de Louis de Bavière. Philippe Jullian plaisantait parfois à propos de ce monogramme, disant qu'il semait le doute chez les visiteurs, ceux-ci ne sachant pas s'ils arrivaient chez Arturo Lopez ou bien dans l'un de ces châteaux aujourd'hui démolis de Louis XIV !

Le père d'Arturo finit par se calmer et les ouvriers furent à nouveau autorisés à travailler sur le chantier. Rodocanachi lui-même y travailla durant trois ans, jusqu'à sa mort en 1929. Georges Geffroy lui succéda alors.

Si Arturo consultait un nombre considérable d'experts et de décorateurs, il n'acceptait jamais que ces derniers lui imposent leur goût. Il était seul maître à bord, sûr de son propre goût, sachant toujours exactement ce qu'il voulait. C'est de cette manière qu'on finit par imposer son propre style. Peu de gens ont véritablement foi en eux : la plupart s'en remettent au goût d'un architecte ou d'un décorateur, faisant preuve d'une totale absence d'originalité.

Tandis que certaines pièces de la maison conservaient leur simplicité initiale, d'autres gagnaient en noblesse au fur et à mesure que les meubles précieux remplaçaient ceux de Rodocanachi.

Cecil Beaton a fort bien résumé le goût d'Arturo Lopez dans son livre *Cinquante ans d'élégances et d'art de vivre* : « Quand on regarde la maison de Neuilly, on peut difficilement croire que sa transformation est récente. Le simple fait que des artisans contemporains aient appris à travailler les motifs ornementaux en forme de coquille, et aient été ainsi à même de reproduire une salle de bal rocaille tel qu'on le concevait au XVIIIe siècle, est en soi un prodige ».

Arturo a été un collectionneur à l'égal des plus grands, à l'égal de Richard Wallace, le fils naturel du 4e marquis de Hertford dont la veuve a légué la collection d'objets d'arts (connue désormais sous le nom de Wallace Collection) à la nation britannique. Le goût d'Arturo était toutefois plus mesuré que celui des autres grands collectionneurs, il s'étendait aussi bien à l'architecture en général qu'au cadre dans lequel les objets devaient ensuite trouver leur place. Il appelait cela son "musée du siège". Tout comme Wallace, Arturo attachait la plus grande importance à la provenance des objets et des chefs-d'œuvre qu'il possédait, il aimait l'histoire qui se rapportait à chacun d'eux. Il se délectait aussi des batailles qu'il avait parfois dû livrer pour obtenir certaines des pièces qu'il convoitait.

La maison était placée sous le signe d'un classicisme affirmé, avec un hall d'entrée en marbre blanc et noir, et quatre lanternes de bronze surmontées d'une couronne dessinées par Rodocanachi lui-même. De son côté, Jacques Helft continuait de le conseiller pour sa collection d'argenterie, collection à l'enrichissement de laquelle Arturo travailla jusqu'à sa mort.

Pierre Verlet, quand il était conservateur au département des objets d'art au Louvre, avait une profonde admiration pour Arturo et ses collections. Il pensait qu'Arturo aurait dû vivre sous Louis XIV. Comme à l'époque il y avait peu de vaisselle française du XVIIe sur le marché, Verlet a écrit quelque part qu'Arturo « avait finalement choisi de se tourner vers la production des artisans et des orfèvres du règne de Louis XV ». Verlet s'attardait longuement à admirer dans le détail les pièces de la collection d'Arturo, n'ignorant pas qu'il avait fallu quinze ans pour réunir l'ensemble ainsi présenté de plats, de couverts, de sucriers, de cafetières, formant au total sept cents pièces en argent massif ou en vermeil. Certaines de ces pièces provenaient de la maison de Bragance, tels ces deux candélabres d'une série de quatre qui avaient été proposés à la vente durant la guerre mais n'avaient trouvé preneur qu'avec le retour d'Arturo à Paris.

Il mettait une telle application à enrichir sa collection qu'il était capable d'attendre dix ans rien que pour parvenir à réunir deux salières qui avaient été séparées lors d'une vente antérieure. Pierre Verlet fut par la suite très touché d'apprendre qu'Arturo s'était souvenu du Louvre dans son testament.

L'hôtel particulier
d'Arturo Lopez-Willshaw,
rue du Centre
à Neuilly-sur-Seine.
Les intérieurs
et la célèbre collection
d'argenterie dont une partie
fut léguée au Louvre.
L'hôtel appartient
aujourd'hui à la ville de
Neuilly et le parc a été loti.

Le salon bleu renfermait une balustrade par Dubois (1773) et un chandelier en vermeil. Mais le trésor de la galerie, c'était l'un des premiers pianos-forte, cet instrument conçu pour remplacer le clavecin. D'un travail très simple, il avait été fabriqué pour une princesse, tante du roi : Madame Victoire, à qui Mozart a dédié une sonate. Retrouvé dans les collections nationales, ce piano-forte en avait été soustrait par le président Félix Faure qui l'avait l'offert au grand-duc Paul à l'occasion de son mariage morganatique (avec celle qui devait être créée princesse Paley). Le grand-duc l'expédia par la suite en Angleterre, soucieux de l'éloigner de la Russie. Il le vendit finalement à un marchand, lord Duveen[1], et celui-ci le céda à son tour à Arturo.

La Chine exerçait également une véritable fascination sur Arturo, c'est ce qui lui donna l'idée de recréer une cour des empereurs de Chine en miniature lors de son entrée au bal Beistegui.

Dans le grand salon, le tissu était une soie couleur or avec des rehauts de bleu et d'argent commandée à l'origine par l'impératrice Catherine II, dessinée par Rastrelli et offerte à l'une de ses proches. On l'avait retrouvée intacte, dans le placard d'un des palais impériaux, après la révolution d'Octobre. Beistegui l'avait achetée en Russie soviétique, entre les deux guerres, et il en avait revendu une partie à Arturo. Il y avait également dans ce salon deux bergères, six chaises estampillées Heurtaux et un secrétaire en mosaïque de cuivre et de nacre, considéré comme l'une des premières productions de Boulle.

Les plus belles collections d'Arturo dataient de la seconde moitié du XVIe siècle, une époque durant laquelle des cadeaux fabuleux, fabriqués à Florence ou à Augsbourg, s'échangeaient à l'occasion de mariages, de couronnements ou tout simplement quand on scellait une alliance diplomatique. Il y avait des objets étonnants, réalisés à Augsbourg, qu'il abritait dans de petites alcôves décorées de velours précieux, où l'on trouvait une robe d'enfant, les ferrets d'un collier, des pendants en cristal, des chaînes, des reliquaires et toute une joaillerie rare évoquant à la fois l'univers de la magie et du spirituel.

Cette alcôve était tapissée d'étoffes et, à l'intérieur, on avait accroché des tableaux, placé un large canapé, quelques *Caprices* de Dalí, et le portrait de Patricia par Léonor Fini. De toutes les pièces de la rue du Centre, elle était vraiment la plus incroyable.

La chambre de Patricia était ornée de boiseries gris-bleu sur lesquelles on avait accroché des scènes dans le style de Jacques Callot.

---

1 Joseph Duveen (1869-1939) fut l'un des plus importants marchands d'art de son temps. Ce Britannique d'origine néerlandaise comprit dès le début du XXe siècle que les nouvelles fortunes américaines trouveraient en Europe, auprès des grandes familles aristocratiques ruinées, les œuvres d'art à même de meubler leurs demeures. Il fut créé baron Duveen en 1933 en raison des nombreux dons qu'il consentit aux musées britanniques.

Il y avait aussi une serre chaude où l'on avait envie de s'attarder mais la salle de bal était encore la pièce plus solennelle. Elle était peut-être l'œuvre la plus inspirée et la plus étonnante d'Arturo. C'était en fait une grotte-salon, conçue à l'imitation de celle de Marie-Antoinette à Rambouillet. Quelques lignes tirées d'un poème d'Edith Sitwell[1] y apportaient une touche de modernité :

« Until those coral tears of the rich light
« Hold roses, rubies, rainbows for the sight. »

À l'extérieur de la maison, se trouvaient également une terrasse, une tonnelle, un jardin et un miroir d'eau.

En 1961, Philippe Jullian a publié un ouvrage sur cette maison dans une édition limitée à 266 exemplaires, agrémentée de photographies de Jean Vincent. Le livre a été imprimé à Monaco et relié en toile aux armes d'Arturo. Trente exemplaires numérotés en chiffres romains ont été tirés à part : l'exemplaire que je possède appartient à cette série-là, il porte le n° II.

Arturo avait travaillé à la décoration de sa maison jusqu'à ce que la guerre éclate. Durant toutes les années où il était parti en Amérique, elle était restée fermée, mais fort heureusement rien n'en disparut. Quand Arturo et Patricia purent rentrer à Paris, en 1945, ils s'y installèrent à nouveau et la vie reprit comme avant.

J'étais très impressionné par la réussite d'Arturo : c'était incontestablement l'une des réalisations les plus abouties du XXᵉ siècle. Je dois avouer que je n'aurais pas aimé vivre dans cette maison : mes goûts me portent vers un genre moins solennel. Et pourtant, durant les années qui ont suivi la guerre, à Paris, j'ai en été l'un des visiteurs les plus réguliers.

Arturo et Patricia recevaient énormément. Dès qu'ils y posaient le pied, leurs invités oubliaient le XXᵉ siècle pour se retrouver aussitôt dans le passé, entourés des collections et des trésors du maître de maison dont l'éclat était encore renforcé par les bouquets de fleurs avec lesquels Patricia avait décoré leur demeure. Les Lopez avaient l'art de donner un dîner de cent couverts avec la même facilité qu'on donne un dîner de dix personnes. Le personnel leur resta fidèle pendant des années, tout comme leurs deux chefs. Le premier des deux commença comme cuisinier en charge de la pâtisserie pour finir comme chef principal. Il était toujours en charge de l'intendance à bord du yacht des Lopez, la Gaviota. Patricia était très attentive à ses hôtes, notant soigneusement qu'un invité de marque avait particulièrement apprécié tel ou tel plat. Il n'est pas rare qu'une maîtresse de maison tienne un carnet dans lequel elle écrit quel

---

1 Edith Sitwell (1887-1964), poète et essayiste anglaise.

Bal donné à l'occasion
des 50 ans d'Arturo Lopez
à Neuilly, en juin 1952.

En bas à gauche, Arturo
et Patricia s'apprêtent à
recevoir leurs cinq cents
invités.

plat a été servi à quel invité afin de ne pas le lui servir deux fois, c'est ce que faisait Patricia. Elsa Maxwell, arbitre très au fait de ces questions, les a décrits comme « attentifs aux attentes et aux sentiments de leurs hôtes, faisant preuve de beaucoup de gentillesse ». Elle se souvenait aussi qu'à l'issue d'un dîner chez Paul Dubonnet et son épouse, dans les années 1950, alors que tous les invités s'étaient confondus en louanges vis-à-vis de leur hôtesse, seul Arturo s'était donné la peine d'aller féliciter le chef en cuisine.

"Chips" Channon, membre du parlement britannique bien que né aux États-Unis, et mari de lady Honor Guinness, vint lui aussi déjeuner à Neuilly un jour de mai 1951. Il décrivit[1] ensuite la maison d'Arturo comme un « petit Versailles », où le moindre objet était « hors de prix ». C'était selon lui « la plus élégante réalisation au monde » et la salle de bal, à l'époque entièrement tapissée de coquillages, l'avait littéralement fasciné. De son propre aveu, les mets exquis qu'on avait servis en abondance l'avaient même contraint, cet après-midi-là, à interrompre son activité professionnelle afin de faire une sieste réparatrice.

En 1952, à l'occasion de ses 50 ans, Arturo m'encouragea vivement à donner un bal de cinq cents invités rue du Centre. C'est à cette occasion que Henry Clarke fit cette photographie de Patricia portant l'une de ses nombreuses robes de Charles James et posant dans la salle de bal. Le fameux cliché repris dans *Fashion,* qui devait tant irriter Arturo.

Barbara Hutton était une amie que j'avais rencontrée peu de temps après mon arrivée à Paris. Elle s'était prise d'affection pour moi au point de m'offrir un jour deux énormes boîtes fabriquées à Nuremberg. Elle recevait merveilleusement. C'était quelqu'un de très généreux mais je crains que bien des gens n'aient abusé d'elle. Le pire fut sans aucun doute Graham Mattison. Brillant avocat fiscaliste mais piètre homme d'affaires, ses conseils financiers pouvaient se révéler désastreux. Il avait un côté mielleux, Marie-Hélène de Rothschild le comparait souvent à un prêtre défroqué.

Il avait dû soutirer pas mal d'argent à Barbara car il s'était fait bâtir une énorme maison au Portugal, maison qui semblait plus grosse encore que celle des Patino ! Il mourut pourtant sans le sou.

Barbara avait souvent un amant aux basques. Hélas, c'était rarement le type qui lui aurait convenu. Philip van Rensselaer[2] était de ce genre-là. Il s'était insinué auprès d'elle à Venise, en

---

1 Déjà évoqué, le journal de Chips Channon constitue en effet une mine de renseignements sur la Café Society. Il n'a malheureusement pas été traduit en français et n'existe, en langue anglaise, que dans une version expurgée.

2 Personnage atypique que ce Philip van Rensselaer. Né en 1928, descendant d'une des plus vieilles familles new-yorkaises, de ces dynasties d'origine hollandaise qui se considéraient comme formant l'aristocratie de Manhattan. Le divorce puis la mort de sa mère le laissent soudain sans argent, contraint à un train de vie tota-

Barbara Hutton
et Arturo Lopez au cours
de la soirée donnée
à l'occasion de la remise
de la Légion d'honneur
d'Arturo.

1957. Bientôt on le vit voyager à ses côtés, et rien ne semblait assez beau pour lui. À l'époque où ils partirent pour Cuernavaca[1], elle s'était déjà lassée de lui. Pourtant, quelques mois plus tard, comme elle lui demandait de partir, j'ai entendu dire qu'il lui avait réclamé à titre de compensation une indemnité énorme !

Il devait par la suite très mal se comporter alors qu'il séjournait au Palazzo Brandolini, à Venise. Christina Brandolini appréciait beaucoup sa compagnie et l'invitait régulièrement. Un jour, il se vexa pour je ne sais quelle raison et quitta les lieux après avoir fait main basse sur quelques objets d'une valeur non négligeable. Ce n'était pas très élégant de sa part, d'autant que les Brandolini s'étaient montrés des hôtes généreux avec lui pendant des années. Une fois rentré à New York, il se mit en tête de revendre les objets en question chez le célèbre antiquaire À la vieille Russie. Bien entendu, les pièces furent rapidement identifiées et une discrète transaction s'opéra avec lui afin que ces objets retrouvent leurs légitimes propriétaires. Il fut désormais persona non grata dans la haute société, cela va sans dire. Il a publié quelques petits romans

lement différent de celui qu'il avait connu enfant. Devenu échotier mondain, il publia tout de même quelques romans à succès (*Million dollar baby*). Familier de la Café Society, il en fut tenu à l'écart après avoir été reconnu coupable d'avoir tenté de marchander des objets de Fabergé volés aux Brandolini.

1 Surnommée « la ville à l'éternel printemps », Cuernavaca est une ville du sud du Mexique dont le climat bénéfique a toujours attiré des personnalités, de l'empereur Maximilien Ier à Tamara de Lempicka, en passant par le shah d'Iran Mohammad Reza Pahlavi ou Gloria Lasso. Philippe Jullian s'en est inspiré pour son roman *Café Society*.

dont l'un s'inspire vaguement de la vie de Barbara Hutton. Il a écrit aussi une biographie de Barbara et rédigé son propre livre de souvenirs. Il y a raconté d'ailleurs cette histoire de vol. On m'a dit que Van Rensselaer vivait toujours, quelque part à New York.

J'allai un jour rendre visite à Elsie Mendl à sa villa Trianon de Versailles, la maison où elle vivait grâce à la générosité de Paul-Louis Weiller. Elle n'avait pas son pareil pour proposer aux autres de prétendues bonnes affaires, qui ne l'étaient en réalité que pour elle. Ce jour-là, elle me pria de la suivre et me désigna tout à coup une table, en me disant : « Je veux qu'elle soit un jour à toi, et je prendrai mes dispositions pour cela dans mon testament ».

Devant ma réticence à accepter un tel présent, elle me pria non seulement de lui céder mais se mit aussitôt à insister pour que je prenne même la table avec moi sur-le-champ. Je devais comprendre pourquoi deux semaines plus tard, quand sa secrétaire, Hilda West, me passa un coup de fil en me précisant que la table en question valait six mille dollars mais que je pouvais naturellement la payer en trois fois…

Le rationnement était encore de rigueur à Paris dans ces années-là[1], et même si la capitale sortait de sa torpeur, cela restait compliqué à bien des égards. Le fait que de Gaulle fût désormais le nouveau maître de la France n'avait pas encore été accepté par tous les Français. Sans s'opposer à lui directement, certains n'en pensaient pas moins. Il y avait toujours cette fracture entre résistants et collaborateurs.

Les night-clubs, où peu de temps auparavant on avait vu des collabos mener grand train avec des officiers de la Wehrmacht en chantant *Lili Marleen*, tentaient de se refaire une virginité. Dans la vie de tous les jours, l'un des secteurs d'activité où l'effervescence était la plus flagrante était le monde de la mode. C'était une époque de création étourdissante, et la plupart des grands noms qui sont aujourd'hui synonymes de véritables empires étaient alors en train d'émerger.

Le sommet en la matière fut véritablement atteint en février 1947, quand Christian Dior présenta sa collection "New Look"[2] devant un parterre de clientes et d'acheteuses, éblouies et reconnaissantes. S'il y eut un signe qui montrait clairement qu'on était revenu à une vie normale, c'est bien ce surgissement de couleurs que la mode a suscité alors. Auparavant, Christian Dior avait travaillé pour un ami de Patricia, Lucien Lelong, mais il était encore inconnu et personne n'avait entendu parler de lui. Et puis soudain, Carmel Snow, la rédactrice en chef de

---

1   Le rationnement ne prit fin en effet qu'en décembre 1949.

2   Le défilé en question eut lieu le 21 février 1947, à l'adresse, restée inchangée, de l'avenue Montaigne. C'est à l'issue de ce premier défilé que Carmel Snow eut ce mot fameux : « *It's quite a revolution, dear Christian, your dresses have such a new look !* »

Harper's Bazaar, débarqua à Paris et proclama au monde entier qu'il avait à lui tout seul ressuscité l'industrie de la mode française. J'assistai moi-même à son premier défilé, à l'époque ce n'était pas des évènements de l'envergure qu'on connaît aujourd'hui, ce n'en était pas moins extrêmement impressionnant.

Dans les jours qui suivirent le défilé, des centaines de femmes du monde se bousculèrent pour voir la collection : ce New Look avait décidément fière allure ; toutes les robes portaient un nom plein d'imagination comme "Miss New York", "Miss Paris", "Miss Nice" et ainsi de suite. D'un seul coup, les silhouettes féminines aux tons gris et les tenues aux épaules rembourrées des années de guerre disparaissaient : grâce à Dior, les épaules arrondies, les tailles serrées et les jupes larges dévoilant le genou faisaient leur apparition, tout cela avec des corsages serrés et des jupons de tulle conçus afin de produire le meilleur effet. Les tailles de guêpe et les couleurs gaies étaient annonciatrices d'un après-guerre brillant, elles accrochaient un sourire sur tous les visages d'une époque qui se voulait avant tout heureuse.

Dior avait un sens aigu de la publicité, il savait exactement à quelles femmes ses robes étaient destinées. Plusieurs femmes du monde se mirent à porter des modèles dessinés à l'origine pour ses mannequins, et elles étaient toutes très heureuses de le faire. Quant aux mannequins, elles étaient bien sûr d'une grande beauté, il n'était pas rare qu'on les croise chez Maxim's ou dans quelque endroit à la mode, en compagnie des play-boys du moment, Ali Khan notamment. Tout cela n'a l'air de rien aujourd'hui, mais ce fut à l'époque une révolution considérable.

J'aimerais pouvoir dire que je n'ai gardé de cette époque que le souvenir d'une vie tranquille et heureuse, mais je fus bientôt confronté à un problème qui ne devait se résoudre qu'à la fin d'un été passé dans le sud de la France.

À l'été 1947, celui qui suivit mon arrivée à Paris, Arturo et Patricia louèrent le château de La Garoupe, une propriété merveilleuse au cap d'Antibes, propriété de lady Norman, née McLaren, et cousine de lord Aberconway[1]. Au-dehors, la maison était pourvue d'un escalier qui descendait doucement jusqu'à la Méditerranée. C'était une des plus belles demeures du cap, la seule pouvant supporter la comparaison étant le château de La Croë[2], où le duc et la duchesse de Windsor passaient l'été. Ils y étaient justement cet été-là mais nous ne nous vîmes pas.

---

1   Charles McLaren, baron Aberconway : premier propriétaire du château de La Garoupe, au Cap d'Antibes. Il en avait acheté le terrain en 1907 et avait ensuite fait appel à l'architecte britannique Ernest George.

2   Le château de La Croë, à Antibes, fut bâti en 1927 pour le britannique William Pomeroy Burton. Son architecture, œuvre d'Armand-Albert Rateau, s'inspire de celle de Bagatelle. Les Windsor, qui le louèrent effectivement de 1938 à 1949, y reçurent beaucoup.

Antibes était à deux pas, tout comme la plage de La Garoupe, un endroit de rêve découvert par Gerald et Sara Murphy, Scott Fitzgerald et Cole Porter qui n'avaient pas hésité, au début des années 1920, à demander à l'hôtel du Cap d'ouvrir quelques chambres spécialement pour eux. Avant cela en effet, le sud de la France était surtout un endroit où l'on passait l'hiver. Quand nous y séjournâmes, c'était devenu une destination d'été.

Dans les années 1930, la direction de l'hôtel du Cap ouvrit le fameux Eden Roc, un restaurant perché sur les rochers, qui donne sur Juan-les-Pins et sur Golfe-Juan.

Nous étions restés à Paris durant tout l'été 1946, à cause du rationnement qui rendait tout compliqué. Après-guerre, sur la Côte d'Azur, c'est en 1947 qu'on assista au retour d'une vraie saison estivale. En juillet et en août, Arturo et Patricia avaient de nombreux invités à La Garoupe. Je me souviens que les filles de Paul Dubonnet[1] passaient souvent.

Dans le petit nombre des invités qui y étaient reçus pour quelques jours, on trouvait sir Michael Duff et David Herbert, à la fois cousins et célibataires, tous deux originaires d'Angleterre. Michaël était le fils de lady Juliet, grande mécène des ballets russes et de Diaghilev, et David était le fils du comte de Pembroke. Il se tenait toutefois à l'écart de Wilton, préférant la vie moins contraignante – d'aucuns pourraient même dire louche – de Tanger. Michael était quant à lui marié à lady Caroline Puget, mais cela ne l'empêchait pas lui non plus de mener de fait la vie d'un célibataire…

Le jour de leur arrivée, Arturo les informa que les autres invités étaient descendus à la plage. Ils partirent donc les rejoindre, marchant à travers les rochers avec leur hôte, quand une vision incroyable s'offrit à David. Il se la rappelait encore ainsi, quelques années plus tard : « des flots émergea soudain cette femme incroyablement belle, les cheveux et les cils ruisselant d'eau, les seins nus. Michael et moi en eûmes le souffle coupé : c'était Garbo ! »

Arturo fit les présentations en règle, expliquant qu'ils étaient deux Anglais qui avaient combattu pendant la guerre.

« Comme c'est merveilleux de rencontrer deux hommes qui ont contribué à sauver le monde, répondit Garbo avant de s'écrier : "Vive l'empire britannique !" » et, si l'on en croit le récit de David, de retourner plonger dans la mer.

---

1 Descendant de l'inventeur de la liqueur qui porte son nom, Paul Dubonnet (1900-1961) avait eu une première fille, Rolande, de son mariage avec l'héritière des parfums Coty, puis une seconde, Anne Patricia, de son remariage avec une Américaine, Jean Donaldson.

Garbo ne résidait pas avec nous. Elle était venue passer la journée depuis le cap d'Ail voisin, où son ami russe et protecteur, George Schlee[1], possédait une villa. Tous deux passaient parfois la soirée avec nous, et Garbo se joignait alors à notre petit groupe pour jouer aux charades, elle était capable de faire le tour du château à quatre pattes pour imiter un cheval.

Michael Duff était lui aussi très distrayant, surtout quand il se lançait dans une imitation de la reine Mary, tandis que David tenait le rôle de dame d'honneur, ce qu'il faisait à merveille, sa sœur Patricia ayant été celle de la reine Elizabeth, la reine mère, durant des années. Ils formaient l'un et l'autre un duo hilarant.

Marie-Laure de Noailles était une autre invitée régulière même si, elle non plus, ne résidait pas à La Garoupe. Elle y venait chaque jour depuis sa villa d'Hyères, un trajet non négligeable pour l'époque. Elle insistait toujours pour venir au moment des repas, en grande partie parce qu'elle s'était éprise de moi. Un jour, alors qu'Arturo lui expliqua qu'il ne pouvait pas l'avoir à sa table tous les jours, n'ayant pas assez de tickets de rationnement, Marie-Laure lui fit cette réponse : « Ne vous inquiétez pas, je mangerai avec les domestiques, en cuisine ».

Château de La Garoupe,
été 1947 :
Michael Duff
et David Herbert.

Greta Garbo, Pierre Colle
et J.-C. Donati, le même
été à La Garoupe.

---

1 Financier russe (mort en 1964) ayant fui le bolchevisme pour s'installer à New York, George Schlee est surtout connu pour avoir été le compagnon de l'actrice Greta Garbo. Familier de la bonne société new-yorkaise, il avait auparavant été le mari de la couturière Valentina Schlee, Ukrainienne ayant, comme lui, fui la Révolution russe, et ayant fondé à New York une célèbre maison de couture.

Mais cette maison de rêve n'était pas à proprement parler celle des rêves heureux, je dois bien l'avouer. Patricia ne m'aimait guère. Elle avait une liaison avec George Gaynes, qui séjourna lui aussi à La Garoupe une partie de cet été-là. Il devait par la suite faire son chemin à Broadway, en devenant un comédien et un chanteur doté d'une fort belle voix. Son plus grand succès fut *Wonderful Town*. Son véritable nom était George Jongejans, il était le fils de lady Abdy – qu'on appelait Iya – l'une des Russes de Paris les plus connues. Les cinéphiles se souviennent sans doute davantage de George pour son rôle dans une série de films à succès, *Police Academy*, où il interprétait le rôle du commandant Eric Lassard. Mais avant cela, il a eu une merveilleuse carrière, travaillant avec certains des plus grands acteurs de la vie culturelle française.

Parmi les invités, il faut citer également Tony Pawson, un Anglais qui avait été l'amant d'Arturo dans l'immédiat avant-guerre. Tony faisait partie de ces gens qui arrivent à vivre très confortablement avec quasiment pas de revenus. La générosité d'Arturo l'aidait, c'est entendu. Dans les années 1930, il avait entrepris de voyager à travers l'Europe en train, et son valet de chambre devait apporter ses propres draps dans le wagon-lit. Durant la guerre, il avait servi dans l'Intelligence Service et avait été un temps l'officier de liaison du jeune roi Pierre de Yougoslavie, raccompagnant ensuite le pauvre homme jusqu'à son pays où, pendant deux ans, il essaya en vain de restaurer la monarchie.

Tony Pawson, 1946.

Tony était reparti pour Paris et j'étais arrivé d'Amérique. Arturo lui gardait encore une affection certaine, ce fut d'ailleurs assez évident cet été-là, au château. Tout cela était très difficile pour moi. Ça l'avait sans doute été aussi pour Patricia bien des fois auparavant, comme un ami devait me l'expliquer en me racontant qu'avant la guerre, sur le yacht du père d'Arturo, il arrivait parfois qu'elle vienne s'asseoir à côté d'Arturo, recherchant sa compagnie et qu'au même moment, Tony vienne lui aussi s'asseoir non loin, faisant de même.

Jimmy Donahue observait tout cela à distance, depuis l'hôtel où il se trouvait. Il était le cousin de Barbara Hutton, et tous deux avaient hérité, mais à des degrés différents, l'énorme fortune Woolworth. Jimmy n'avait pas son pareil pour faire des histoires. Un jour, il passa un coup de fil à Arturo pour lui expliquer que la seule chose qui intéressait Tony, c'était son argent.

On trouva bientôt des lettres à charge pour Tony, écrites par l'un de ses amis anglais. L'une d'elles disait : « Je sais que tu n'es pas attaché à Arturo, tu aurais certainement un revenu plus stable avec Donahue ». Ce fut la goutte d'eau qui fit déborder le vase. Au cours d'une promenade, Arturo pria Tony de quitter la villa sans tarder. Ce dernier devint alors pour un temps l'amant de Donahue.

On m'a donné par la suite une autre version de cette histoire, qui n'est pas forcément contradictoire, suivant laquelle Donahue aurait dit à Tony : « Oublie tous ces Sud-Américains. Je suis bien plus riche qu'eux et je peux t'offrir tout ce que tu souhaites ». D'après cette version, Tony et Donahue seraient ensuite partis pour Vintimille, or il fallait à l'époque acquitter une certaine somme d'argent pour passer la frontière. Jimmy aurait alors lancé à Tony : « Avec moi, c'est cinquante-cinquante », lui demandant de payer la somme qui revenait à sa charge. Et c'est ainsi qu'aurait pris fin leur relation.

Jimmy Donahue n'était pas un type bien. Il avait de mauvaises manières, et après avoir entretenu une liaison avec la duchesse de Windsor, affaire qui fut assez malheureuse, il en fit une description assez scabreuse.

Tony reprit donc le chemin de Paris, retrouvant son appartement de la rue de Lille, qu'il tenait d'Arturo. Dans la soudaine disgrâce où il avait plongé, il découvrit que tous les meubles avaient été enlevés sur ordre de ce dernier, à l'exception d'un lit Charles X. Quand il recevait ses amis, il n'y avait plus nulle part où s'asseoir ! Peu de temps après, Barbara Hutton finit par avoir pitié de lui et lui acheta un appartement sur les Champs-Élysées, qu'il vendit quand il prit la décision d'aller vivre en Espagne. Par la suite, il partit pour l'Angleterre mais j'ignore comment. Un rapprochement devait finalement s'opérer entre nous.

Je le voyais de temps à autre. Il fit une apparition au bal Beistegui à Venise, en 1951, aux côtés de Barbara Hutton, tous deux portant le même ensemble de couleur noire signé de Balenciaga, et se faisant passer l'un pour l'autre durant toute la soirée. Il était là également pour le bal que donna Marie-Laure de Noailles en 1956, en velours noir et fraise de dentelle, costumé de manière ressembler au miniaturiste Nicholas Hilliard. Il mourut un jour de Noël, alors qu'il était avec un ami. Il était mondain jusqu'au bout des ongles.

Ces vacances à Antibes devaient s'achever un peu plus tranquillement, et après être partis en voiture tous les trois pour Venise, Arturo, Patricia et moi, nous rentrâmes finalement à Paris.

En décembre 1947, survint à Paris un évènement qui éclipsa tous les autres du point de vue mondain : le départ des Duff Cooper, qui quittèrent l'ambassade britannique où leur passage devait rester comme l'un des plus brillants de tous. Duff Cooper était un homme extrêmement intelligent, et comme ambassadeur il avait fait preuve de beaucoup de flair. Anglais jusqu'au bout des ongles, il percevait fort bien la mentalité française.

Il était habilement secondé par son épouse, auparavant lady Diana Manners, laquelle, dans sa jeunesse, s'était produite aux États-Unis dans une pièce intitulée *The Miracle*. Elle était une de ces rares personnes qui disent exactement ce qu'elles pensent. Tout au long de sa vie, elle eut des admirateurs transis, sorte de petite troupe pour laquelle elle devait se montrer elle-même une amie loyale et fidèle. À l'ambassade, elle avait réuni un groupe constitué d'artistes et d'écrivains qu'elle appelait "La Bande" et qui venait la distraire de certaines des obligations liées à son rôle d'épouse d'ambassadeur.

C'est à cette époque que Louise de Vilmorin entra dans la vie de Duff et de Diana. En novembre 1944, Duff Cooper se jeta à cause d'elle dans une liaison longue et passionnée, professant à chacun qu'il l'aimait plus que tout au monde. Au même moment ou presque, Diana tomba à son tour amoureuse d'elle, écrivant même un jour que Louise avait été la seule femme qu'elle ait jamais aimée. La situation assez peu banale dans laquelle Duff et Diana s'étaient l'un et l'autre engagés dura tout le temps de leur passage à l'ambassade. Duff resta attaché à Louise jusqu'à sa mort, et Diana demeura une proche amie de Louise jusqu'à la mort de celle-ci, en 1963. Le couple la surnommait Loulou et, de son côté, elle appelait Diane "Bijou Rose" et Duff, "Poucet".

Un flot de lettres passionnées écrites par Duff comme par sa femme furent adressées à Louise à cette époque, la plupart écrites sur le papier à en-tête de l'ambassade. On imagine l'onde de choc qui se propagerait aujourd'hui et quel écho elles trouveraient aussitôt dans la presse si de pareilles lettres tombaient entre de mauvaises mains. Duff n'ignorait d'ailleurs rien lui-même des risques qu'il prenait à l'époque. Et quand il ne fut plus ambassadeur, il écrivit un jour à Louise que ce qui le rassurait le plus, c'est que s'il était surpris dans une situation compromettante, à Montmartre par exemple, cela ne pourrait plus nuire au "gouvernement de Sa Majesté" désormais.

Le mois où ils quittèrent l'ambassade, les "Duff" comme on les appelait affectueusement à Paris, donnèrent un grand bal en guise d'adieu, et Churchill vint tout exprès de Londres y assister. La présence de Churchill attira une foule de curieux au faubourg Saint-Honoré, et ce dernier prit d'ailleurs grand plaisir à venir au-devant d'eux pour les saluer. Il honora le bal de sa présence, arborant toutes ses décorations et donnant le bras à Odette Pol-Roger[1], l'un de ses béguins d'alors. C'était l'époque où les Français commençaient à mieux comprendre de Gaulle, dont ils s'étaient jusqu'alors plutôt méfiés. Diana Cooper était magnifique ce soir-là, dans sa robe de satin bleu pâle qu'elle avait marié à du tulle, infiniment bien plus belle que la plupart des jeunes Françaises présentes. La fête prit fin à cinq heures du matin.

Par un petit matin au froid mordant, le 18 décembre, les Duff Cooper quittèrent Paris par le train, suivis du regard, sur le quai, par un bon millier d'amis. Diana pleurait à chaudes larmes et dans un élan un peu mélodramatique, Louise de Vilmorin sauta dans le wagon puis se mit à les entourer dans ses bras l'un et l'autre, déclarant avec cette emphase dont elle était coutumière que puisque les Duff Cooper n'étaient pas autorisés à rester en France plus longtemps, elle se devait, elle, en tant que Française, de partir avec eux pour l'Angleterre. Ce qu'elle fit pour un petit moment.

Nancy Mitford ne mit pas longtemps à prédire que sans les Duff Cooper, Paris risquait de devenir d'un ennui mortel. L'ambassade de Grande-Bretagne fut incontestablement un endroit bien moins excitant durant la présence de l'ambassadeur suivant, sir Oliver Harvey[2], celui-là même que Diana Cooper surnommait "l'horrible Harvey". Pendant ce temps-là, le départ si théâtral des Cooper depuis la gare devait inspirer à Nancy l'un de ses romans les plus popu-

---

1 C'est à la faveur d'un dîner organisé par les Duff Cooper à l'ambassade de Grande-Bretagne à Paris que Winston Churchill avait fait la connaissance d'Odette Pol-Roger, mariée à l'un des propriétaires de la marque de champagne du même nom. Odette Pol-Roger était elle-même la petite-fille de sir Richard Wallace, collectionneur britannique, installé à Paris, dont le nom reste attaché à celui de la Wallace Collection, à Londres.

2 Oliver Harvey, premier baron Harvey de Tasburgh (1893-1968), diplomate britannique. Il succéda à Duff Cooper comme ambassadeur de Grande-Bretagne à Paris (1948-1954).

laires : *Pas un mot à l'ambassadeur,* dans lequel l'épouse de l'ambassadeur ne supportant pas de quitter Paris, profite du premier arrêt pour revenir à Paris et de là, gagne l'ambassade où elle parvient à se cacher dans une aile désaffectée. L'épouse du nouvel ambassadeur en titre observe le manège de visages connus qu'elle voit traverser la cour et disparaître par l'escalier de service : une couturière parée de bijoux, un amiral, un pianiste à la mine coupable et un ex-roi. Dans la dernière scène, et après bien des épisodes, "Lady Leone" quitte enfin l'ambassade définitivement mais avec panache.

Il y avait un brin de vérité dans tout cela puisque les Duff Cooper continuaient d'occuper le château de Saint-Firmin, à Chantilly, où Duff devait demeurer pendant les années qu'il lui restait à vivre et où Diana habita, elle, jusqu'en 1960. Il n'est pas dans les usages diplomatiques qu'un ancien ambassadeur reste dans le pays où il a été en poste. Mais il est vrai qu'ils adoraient la France, et je me suis souvent rendu dans cette maison durant les années 1950. Leur départ fut la fin d'une époque.

En janvier 1949, pendant que j'étais encore au Meurice, Étienne de Beaumont donna son premier grand bal de l'après-guerre : le bal des Rois. Il eut lieu le 6 janvier 1949, pour la fête de l'Épiphanie. Cocteau et Marie Laurencin avaient été chargés de dessiner les costumes destinés aux différents groupes qui devaient faire ce qu'on appelle une "entrée", chacune de ces entrées ayant fait l'objet de répétitions avant le bal, sous le contrôle d'Étienne. Suivant le plan établi, à chaque fois qu'un groupe arrivait, il les accueillait lui-même en tant que chambellan, puis les conduisait jusqu'à un grand rideau, sur une petite scène, afin qu'ils reçoivent l'hommage de la cour – autrement dit les invités – accompagnés en musique par un petit orchestre.

Je demandai à Bébé Bérard s'il pouvait me conseiller un tailleur à même de me couper un costume pour ce bal. C'est lui qui me parla le premier d'un jeune homme, qui travaillait alors pour Christian Dior, lequel était alors à la veille de créer sa propre maison. Il avait un petit atelier au cinquième étage d'un immeuble qui faisait face au célèbre magasin de jouets, Le Nain Bleu[1], atelier qu'il partageait avec son ami, Escoffier. Il me dessina une tenue qu'il vint me livrer au Meurice, et c'est ainsi que je fis la connaissance de Pierre Cardin.

Cardin est né dans les environs de Venise, en 1922[2]. Ses parents étaient viticulteurs. Quand la famille s'installa en France, Cardin commença à se passionner pour l'architecture et pour la mode. À 14 ans, il entra en apprentissage chez un tailleur et à 17, il débarqua à Paris. La guerre

---

1 Au Nain Bleu, célèbre enseigne de jouets de luxe créée en 1836, longtemps installée rue du Faubourg Saint-Honoré.

2 De son vrai nom, Pietro Costante Cardin, le célèbre couturier est né le 2 juillet 1922 à Sant'Andrea di Barbarana.

éclata alors, durant laquelle il travailla pour la Croix-Rouge. Après la guerre, Cardin travailla pour des couturiers célèbres tels que Paquin, Marcelle Chaumont, puis pour Schiaparelli. Il fit la connaissance de Bérard et de Cocteau et travailla pour chacun d'eux.

Environ un an plus tard, Cardin eut besoin d'un financement afin de pouvoir acheter sa propre boutique. Arturo l'aimait bien et lui prêta de l'argent. Six mois plus tard, il avait tout remboursé. Il quitta Escoffier et s'établit à son propre compte avec le créateur de costumes de théâtre André Olivier qui, à l'époque, rencontrait un grand succès. Il ouvrit sa propre maison de couture, rue Richepance, puis d'autres boutiques pour femme comme pour homme dans le faubourg Saint-Honoré.

Il a eu depuis un succès qui ne s'est jamais démenti. Personnellement, je n'ai jamais trouvé qu'il ait eu beaucoup de goût, mais comme l'a dit un jour Diana Vreeland : « Il y a des tas de gens qui n'ont aucun goût et qui réussissent très bien dans la vie ! »

Le bal des Rois eut lieu dans l'hôtel des Beaumont, rue Masseran. Ils n'avaient pas tant d'argent que cela mais leur maison, elle, valait une fortune. Le couple avait une grande influence et leurs soirées étaient réputées. Lors du bal en question, tous les invités vinrent costumés en rois ou en reines : Bébé Bérard en Henry VIII, Patricia en reine des roses, Marie-Laure de Noailles en Louis XIV (elle pensait avoir le même profil que le souverain), et Christian Dior en roi des animaux, portant un manteau fait à partir de la peau de ce félin, la gueule d'un lion posé sur son propre crâne.

Au bal des Rois, janvier 1949.

Avec le peintre "Bébé" Bérard, au bal des Oiseaux, novembre 1948.

Ce bal fut quasiment le dernier d'Étienne de Beaumont. Il en donna encore un puis, en 1951, Edith, sa femme, mourut. Elle avait été installée dans la salle de bal de leur grande maison, le corps recouvert de dentelle blanche, et beaucoup vinrent lui rendre un dernier hommage. Quand j'allai à mon tour présenter mes condoléances, il me guida jusqu'à elle et me dit : « Regarde comme je l'ai fait belle ». On prétend qu'à l'occasion d'une de ces visites de deuil, quelqu'un aurait murmuré : « De la dentelle blanche, mais quelle bonne idée, je n'ai jamais su quoi faire de mes vieilles dentelles ! » Et c'est ainsi que les bals cessèrent.

Étienne finit ses jours à Tanger dans une extrême solitude, un filet posé sur les cheveux afin de les protéger du vent, étrange personnage arborant une mine désabusée. Il ne supportait pas d'être séparé de sa femme, même si leur mariage avait été plus une longue amitié qu'une passion torride.

Il mourut à son tour, en 1956. Johnny de Lucinge a raconté que moins de cinquante personnes assistèrent à ses funérailles, sa famille comprise. Un manque de reconnaissance désolant après tant d'années d'une hospitalité flamboyante dont tant de gens avaient si longtemps profité.

Quelques jours après le bal des Rois, Bébé Bérard mourut à son tour, subitement, lors d'une répétition de la pièce de Molière, *Les fourberies de Scapin,* dont il avait dessiné les costumes tout de gris et noir. Il était souffrant mais avait décidé de se rendre malgré tout au théâtre. Il devait s'effondrer sur scène à l'endroit même où Molière était mort en 1673, alors qu'il interprétait *Le malade imaginaire,* cette pièce au titre si mal choisi. Bébé mourut dans l'ambulance qui le transportait à l'hôpital mais on le ramena chez lui. Il n'avait que 46 ans.

Le jour de la mort de Bébé, nous étions à Saint-Moritz, et je ne pus donc me rendre à ses obsèques célébrées à l'église Saint-Sulpice, mais je devais en entendre parler. Durant la céré-monie, Boris Kochno tint le rôle de la "veuve". De leur côté, tous les amis de Bébé s'étaient cotisés pour acheter une croix de violettes couleur parme, et comme ils étaient fort nombreux, la croix était gigantesque et son parfum si entêtant que dans le cortège qui se rendit jusqu'au Père Lachaise, chacun en fut incommodé. Il se passa ensuite un de ces psychodrames qui rendent les enterrements si particuliers.

Les croque-morts n'avaient pas creusé un trou assez large. Bébé n'était pas très grand, mais il était en revanche très gros, aussi le cercueil était-il à la fois petit mais extrêmement large. Aussi, pendant que les proches se tenaient devant la fosse, les fossoyeurs durent creuser à nou-veau jusqu'à ce que le cercueil puisse trouver sa place en terre. La situation ne manquait pas de piquant car Martine, la mère de Bébé, appartenait à la famille de Borniol dont l'entreprise de pompes funèbres est une des plus célèbres de Paris. C'est d'ailleurs de là que Bébé tenait sa fortune.

La mort de Bébé fut un moment important dans la vie culturelle parisienne, et ses amis ou ses admirateurs parlent encore de lui bien des décennies après. Il n'est pas forcément très connu du grand public et il est sans doute tout à fait inconnu en Grande-Bretagne, mais en général, ceux qui découvrent son travail lui restent ensuite très attachés. J'ai gardé de lui plusieurs gouaches et quelques dessins qui sont accrochés dans les étages du Lambert. J'aime tout particulièrement ses esquisses préparatoires pour la pièce de Colette, *Gigi,* et celles qu'il avait faites pour *La folle de Chaillot,* de Jean Giraudoux.

Bébé était un être tout à fait étonnant, totalement naturel et spontané. Il s'entendait particulièrement avec Diana Cooper et faisait partie du petit cercle de "La Bande". Elle se souvenait de la première visite qu'il lui avait rendue, à l'ambassade de Grande-Bretagne quand il était venu remettre un peu d'ordre dans les différentes pièces, après la guerre. Elle l'avait vu arriver et monter le grand escalier, les cheveux gras qui lui arrivaient jusqu'à l'épaule, la braguette ouverte, ses vêtements couverts des reliefs de son repas et de taches de peinture. Tel qu'il lui était apparu ce jour-là, il lui avait plu instantanément !

Il était souvent accompagné d'un petit chien. Diana avait surpris un jour l'animal en train de s'oublier sur le parquet de l'ambassade. Aussitôt après, elle avait vu Bébé se baisser pour ramasser ce que le chien avait déposé et, comme si de rien n'était, le glisser dans sa poche.

À l'été 1949, Arturo loua le yacht des Embiricos et nous partîmes alors pour la Sicile, pour les îles des alentours et Malte. Arturo aimait naviguer et, en 1950, il décida soudain d'acheter la Gaviota IV aux chantiers Camper & Nicholsons, en Angleterre. Le yacht avait été conçu en 1931 pour M. Reynolds, des tabacs du même nom. Arturo chargea Geffroy de sa décoration, conçue dans un style assez traditionnel, et le bateau fut prêt pour notre première croisière, à destination de Venise, Bayonne et Biarritz, durant l'été 1950. L'année suivante nous l'utilisâmes encore pour nous rendre à Venise, à l'occasion du mémorable bal Beistegui. À cette époque, et ce jusqu'à la mort d'Arturo, nous prenions également une suite au Grand Hôtel de Venise où nous séjournions chaque année.

La Gaviota IV,
yacht d'Arturo Lopez.

La Gaviota disposait d'une suite pour Arturo, d'une pour Patricia et d'une pour moi, et de simples cabines pour les autres invités.

Pendant ce temps, je vivais toujours au Meurice, dans un bel appartement décoré par Geffroy. J'en ai gardé une charmante vue intérieure dessinée par Serebriakoff. Mais je ne pouvais tout de même pas passer toute ma vie dans un hôtel, je me mis donc en quête d'un appartement. Un jour, le décorateur Victor Grandpierre me passa un coup de fil et me confia qu'il avait entendu parler d'un appartement de prestige, mais à rafraîchir, sur l'île Saint-Louis. C'était l'hôtel Lambert : ma vie s'apprêtait à prendre un tour nouveau.

L'hôtel Lambert

IL Y AVAIT UN APPARTEMENT À LOUER À L'HÔTEL LAMBERT. J'étais impatient de le voir et aussitôt que ce fut fait, je décidai que c'était l'endroit où je vivrais désormais. Je n'ai jamais changé d'avis depuis, et cela fait maintenant cinquante-cinq ans que j'en ai franchi la porte pour la première fois.

Pour moi, vivre dans un cadre d'exception est essentiel. Il y a des gens qui se fichent de l'environnement ou de l'appartement dans lequel ils vivent. Moi j'aime chaque pierre de ce lieu enchanteur : le restaurer et l'entretenir a été l'œuvre de toute une vie.

Quand je suis arrivé au Lambert, il y avait cependant un problème à résoudre. Le comte Stefan Zamoyski, qui avait épousé une Czartoryska [1], était à la recherche de locataires pour les différents appartements de l'hôtel. Sans être excessifs, les loyers étaient assortis de l'obligation de restaurer l'appartement qu'on louait. De nombreuses complications venaient se greffer là-dessus. Victor Grandpierre m'apprit bientôt qu'une Mme Minossian, qui dirigeait le département femme chez Dior, avait également trouvé l'appartement de ses rêves au Lambert mais qu'elle ne pouvait le prendre que si elle trouvait elle-même quelqu'un pour occuper celui du dessous.

Elle ne devait finalement jamais emménager car les Czartoryski décidèrent entre-temps de garder l'appartement de l'étage inférieur pour eux. Ils le louèrent à un certain M. Deweze, mais celui-ci se brisa les deux jambes et ne fut bientôt plus en mesure de monter les escaliers. Sans rien dire, il prit alors sur lui de le sous-louer à l'actrice Michèle Morgan [2].

Je pris l'un des appartements en location, malgré l'obligation de restaurer qui y était attachée, ce qui n'était pas une mince affaire vu l'état de conservation déplorable de chacune des pièces, état qui devait m'obliger à patienter deux ans avant de pouvoir vraiment m'installer. Comme l'immeuble était un des monuments historiques les plus emblématiques de Paris, la commission des monuments historiques devait accorder un accord préalable à la moindre transformation que je souhaitais entreprendre. Quand je dis à Arturo que je désirais cet appartement, il me répondit :
— Tu es complètement fou. Je t'ai donné de l'argent pour te mettre à l'abri et tu veux le dépenser dans cette maison !
— Oui, répondis-je, c'est exactement ce que je veux faire.

---

1 C'est le prince Adam Czartoryski qui avait acheté le Lambert dans les années 1840, après l'insurrection polonaise de 1830. Il est resté dans cette famille jusqu'à sa vente à Guy et Marie-Hélène de Rothschild en 1975.

2 La comédienne, décédée en 2017, y demeura jusqu'en 1976 et le rachat du Lambert par Guy et Marie-Hélène de Rothschild.

L'hôtel Lambert,
le grand escalier en loggia.

Arturo n'avait jamais eu l'occasion de voir le Lambert mais il connaissait tout de cet hôtel, et il avait toujours rêvé d'en voir l'intérieur. Les Czartoryski ne laissaient jamais personne y entrer, excepté quelques hôtes de marque ou des compatriotes polonais de passage. Tout cela aiguisait plus encore la curiosité d'Arturo. Il m'accompagna donc pour voir ce qu'il en était et bien qu'il m'ait redit qu'il était absolument opposé à ce projet, je savais qu'il trouvait l'idée excitante. Sans doute cela lui rappelait-il les gigantesques travaux dans lesquels il s'était lui-même lancé rue du Centre, malgré l'opposition de son père.

L'île Saint-Louis est un endroit romantique à souhait, elle est située en plein centre de Paris et ceinturée par la Seine qui possède un bras secondaire à cet endroit-là. Tout près, sur une île un peu plus grande, l'île de la Cité, se tiennent le Palais de justice, la préfecture de police et la cathédrale Notre-Dame. L'île Saint-Louis se tient en vis-à-vis. J'en habite la pointe, en face du pont de Sully.

Ces deux îles de Paris furent achetées jadis par un jeune architecte sous le règne de Louis XIII, un certain Christophe Marie, qui avait compris que le quartier du Marais était trop exigu. Il y fit bâtir plusieurs hôtels particuliers donnant sur la Seine, sur ses rives gauche et droite.

Bien de gens ont habité là, l'un des plus fameux étant sans doute le maréchal de Richelieu, au 18 quai de Béthune ou, plus récemment, le président Georges Pompidou, qui y vécut de 1969 à sa mort, en 1974[1].

Dans les années 1940, comme au siècle précédent, la maison était la propriété des Czartoryski qui la tenaient de la princesse Rose Czartoryska, née Caraman-Chimay. Ses descendants furent contraints de s'en séparer.

L'hôtel Lambert doit son nom à Jean-Baptiste Lambert, seigneur de Sussy et Thorigny, secrétaire particulier de Louis XIII. C'est lui qui demanda à Louis Le Vau, alors jeune architecte, de lui bâtir un petit hôtel particulier sur l'île Saint-Louis, où il aménagea en 1641, le jour de Pâques. Il devait mourir peu de temps après, âgé de 37 ans seulement. Son frère, Nicolas Lambert, lui-même à la tête d'une jolie fortune, fit reconstruire le Lambert dans la forme qu'on lui connaît aujourd'hui, confiant les aménagements intérieurs à trois artistes : Le Sueur, Perrier et Le Brun. On y accède depuis la rue Saint-Louis-en-l'Île qui mène à une grande cour, laquelle conduit aux appartements du premier étage, ceux-là mêmes qui sont aujourd'hui occupés par Guy de Rothschild.

---

1 Les Pompidou habitaient en effet au n° 24, un appartement situé dans l'immeuble construit pour Helena Rubinstein par Louis Süe, en 1934, sur l'emplacement de l'hôtel d'Asselin.

Voltaire y a habité dans les années 1730 avec sa maîtresse, Émilie du Châtelet, et Mozart lui-même y a joué de la musique. Quant à la chambre de Voltaire, c'est aujourd'hui ma chambre.

En 1842, le prince Czartoryski devint le nouveau propriétaire de l'hôtel. Ce grand seigneur y vécut avec sa famille dans une certaine opulence. Pas moins de soixante domestiques y vivaient à demeure, n'apparaissant que si on les sonnait et devant à chaque fois s'incliner puis embrasser l'ourlet de la robe de leur maîtresse. Delacroix, Chopin et George Sand en étaient alors les hôtes réguliers.

C'est depuis le balcon de cet hôtel qu'en 1931, Isabelle d'Orléans-Bragance fit son apparition après avoir officialisé ses fiançailles avec Henri, comte de Paris. Une foule de royalistes s'était rassemblée devant la maison. Le mariage ne pouvait avoir lieu en France car le prétendant n'était pas autorisé à mettre le pied sur le sol français. Ces fiançailles étaient par conséquent le seul évènement qui leur permettait de témoigner, depuis l'Hexagone, leur attachement à la cause monarchique.

À l'intérieur de l'hôtel, un grand escalier aux degrés merveilleusement inégaux mène à mes appartements qui se trouvent au second étage et sont attenants à la galerie d'Hercule qu'on doit à Le Brun. À l'époque des Czartoryski, cette galerie était décorée d'un mobilier de bois sombre qui contribuait à y entretenir une certaine pénombre : c'était cet horrible mobilier Napoléon III. À leur départ, les Czartoryski récupérèrent tout le mobilier, ne laissant sur place que le piano sur lequel

Vue de l'hôtel Lambert par Alexandre Serebriakoff.

Chopin avait joué. Ils finirent d'ailleurs par le reprendre aussi. Quoi qu'il en soit, ils laissèrent quand même dans la bibliothèque les peintures de Le Sueur, que Guy de Rothschild racheta avec la maison, bien des années plus tard. Elles ont été peintes pour cette demeure et représentent le lever du jour.

Ma première tâche fut de régler les uns après les autres les problèmes qui assaillent les vieilles demeures, problèmes qui sont familiers à tous ceux qui y ont été confrontés. Mais je ne veux pas ennuyer le lecteur avec tout ça. Dans un second temps, les choses devinrent plus intéressantes : il s'agissait de redonner leur lustre passé à chacune des pièces, de dénicher le meuble qui convienne le mieux, l'argenterie, les livres finement reliés, les bronzes et les objets d'art de toute sorte. Aucun détail ne devait être négligé si je voulais obtenir l'effet escompté.

La bibliothèque, dessinée par Geffroy[1] en 1948, est à cet égard l'une des plus belles réussites. Elle a depuis été souvent copiée, mais c'est bien ici que se trouve l'original. Quand Cecil Beaton l'a vue pour la première fois, il a suggéré que le fond en soit peint en bleu. J'ai suivi son conseil car j'ai toujours trouvé que Cecil avait l'œil en matière de couleurs. Aujourd'hui encore, je suis sûr qu'il a eu une excellente idée.

Je possède un très beau bureau, signé de Boulle, dont il n'existe que trois exemplaires au monde. Personne n'en connaît l'origine. Pour ce qui est du deuxième, il est passé en vente chez Christie's il y a une dizaine d'années et provenait de Knole. Le troisième appartient à la reine d'Angleterre. Je l'ai vu en 2002 à la Queen's Gallery, à Buckingham Palace, lors de l'exposition sur les trésors royaux qui a été organisée pour le jubilé d'or de la reine. L'administration de la Royal Collection attribue à ces bureaux une provenance hollandaise.

Les grands décorateurs de l'après-guerre étaient fabuleux, et ils travaillaient comme des fous. Geffroy était sans conteste le plus grand car il avait comme aucun autre le sens du détail. Il suffisait qu'un coussin ne soit pas à sa place pour qu'aussitôt il l'en change. Il savait exactement ce qu'est un très bel objet ou une pièce rare. Je n'avais pas une admiration sans borne pour Stéphane Boudin[2], de la maison Jansen. En effet, dès qu'on entrait dans une pièce qu'il avait

---

1 Georges Geffroy (1905-1971), architecte d'intérieur, spécialiste du XVIIIᵉ siècle français. Il était connu pour sa capacité à dénicher meubles précieux et objets rares chez les antiquaires ou lors de ventes aux enchères. Il réalisa les intérieurs de nombreuses personnalités de la Café Society. La bibliothèque qu'il dessina pour Alexis de Redé est considérée comme son morceau de bravoure.

2 Stéphane Boudin (1888-1967), décorateur français, président de la maison Jansen à Paris, fut choisi par Jackie Kennedy, pour participer à la décoration de la Maison Blanche (1961-1963).

La fameuse bibliothèque,
chef-d'œuvre
de Georges Geffroy.

décorée, on voyait aussitôt que c'est lui qui en était à l'origine. Emilio Terry[1] était lui aussi un très grand décorateur. Geffroy et lui étaient toujours en train de se critiquer. Un jour, il y eut une dispute pour savoir qui était le plus grand architecte, de Ledoux ou de Gabriel. Cela prit une tournure telle que l'un des deux se saisit tout à coup d'un parapluie et se mit à en frapper l'autre sur la tête. Ils finirent par sortir de la pièce, brandissant chacun leur parapluie. C'était une époque où l'on savait se passionner pour des choses de ce genre. Je n'imagine guère aujourd'hui les gens brandir leur parapluie pour cela.

Au Lambert, je n'ai pas de salle à manger : je n'aime pas l'idée d'avoir une pièce réservée à ce seul usage. Je prends généralement mes repas dans la salle des Muses, sinon je fais dresser une table là où j'en ai envie.

J'avais enfin le sentiment d'avoir quelque chose à moi. Durant ces premières années, de 1949 à 1962, date de sa mort, Arturo a passé là une grande partie de son temps tout en vivant officiellement à Neuilly. C'est du Lambert que nous partions pour les soirées où nous étions

---

1 Emilio Terry y Sanchez y Dorticos y Sarria (1890-1969), dit Emilio Terry. Architecte, décorateur, dessinateur et paysagiste d'origine cubaine. Influencé par Palladio et Ledoux, marqué par les arts décoratifs du XVIIIe siècle, il est notamment connu pour avoir collaboré aux embellissements de Groussay, propriété de Charles de Beistegui, à Montfort-L'Amaury.

L'hôtel Lambert, côté jardin.

invités et c'est là que la voiture nous ramenait ensuite. Cela peut paraître un arrangement un peu curieux mais cela fonctionnait très bien.

Un temps, Mona Bismarck occupa un appartement au Lambert. Elle emménagea ensuite dans sa maison du quai de New York. Mona avait été une des grandes beautés de sa génération. Originaire de Lexington dans le Kentucky, elle était devenue très riche après une série de mariages, en particulier avec M. Harrison Williams. Devenue veuve, elle finit par épouser Eddy von Bismarck.

Mona avait toujours dit à Arturo qu'il pouvait jeter un œil à son appartement s'il le voulait. Un jour, le duc et la duchesse de Windsor donnèrent un dîner dans leur maison du bois de Boulogne, auquel Arturo et Patricia, ainsi que Mona, étaient présents. Une terrible dispute éclata soudain entre Mona et Arturo. Il avait un peu bu il est vrai et ne tenait pas l'alcool. Mona commença à lui faire la leçon :

— Comment osez-vous, mon petit monsieur, pénétrer chez moi et fouiller ainsi dans mes placards ?

Et lui de répondre :

L'hôtel Lambert,
la galerie d'Hercule.

— Vous n'étiez qu'une simple manucure, comment osez-vous me parler sur ce ton, vous dont le mari n'est qu'un petit gigolo allemand !

Il parlait d'Eddy von Bismarck, son quatrième mari. Et les choses continuèrent sur ce ton.

Aussitôt après le dîner, le maître d'hôtel du duc de Windsor fit signe à son maître qu'il avait besoin de lui parler de toute urgence. Il lui dit alors :

— Je pense que l'un des invités de Votre Altesse n'est pas dans son état normal : il a uriné dans sa coupe de champagne.

Le duc resta silencieux un moment, avant d'ajouter :

— Évidemment, ce n'est pas très courant il faut l'avouer, mais c'est assez pratique !

Quand je m'installai au Lambert, Millicent, la duchesse de Sutherland s'y trouvait déjà. Mère de Geordie, cinquième duc de Sutherland, elle était une figure de la société et devait encore faire deux mariages. Elle avait établi ses quartiers au Lambert le 16 juin 1946. Les pièces qu'elle occupait donnaient sur un jardin suspendu. Je me souviens qu'elle avait dans sa chambre un portrait de Baudelaire.

Elle trouvait que Paris était plein de fantômes, « des fantômes assez froids » avait-elle l'habitude de préciser. La duchesse n'avait aucune idée des difficultés qui assaillaient les Français après cinq ans d'occupation allemande. L'essence manquait et le lait était réservé aux femmes enceintes ou en train d'allaiter. Le pain était rationné lui aussi. Il était d'ailleurs fait de farine de maïs et après la cuisson, la mie gardait un goût de moisi puis devenait dure comme une balle de golf. Le gibier, la volaille et la viande coûtaient très cher, le marché noir était florissant. On entendait même certains Français se plaindre qu'on avait mieux mangé quand les Allemands étaient là : « Quand les boches étaient là, on vivait à leurs crochets, aujourd'hui on ne vit plus qu'en resquillant » disaient-ils.

La duchesse avait de nombreux amis. Elle recevait des États-Unis des colis contenant de la nourriture, et quand elle invitait le duc et la duchesse de Windsor à dîner, la servante pouvait proposer au duc son whisky favori, un whisky écossais distillé à Brora, non loin de Dunrobin, le domaine des Sutherland : un whisky qu'elle avait bel et bien obtenu en contrebande.

De temps en temps, Millicent publiait un livre. Elle a pris pour cadre l'île Saint-Louis dans son roman, *That fool of a woman*. Elle devint l'amie de la princesse Bibesco qui avait elle aussi résidé sur l'île Saint-Louis avant la guerre et qui devait y situer son propre roman : *Catherine-Paris*. La guerre finie, en 1948, Marthe Bibesco revint habiter la petite île. Elle fut très reconnaissante envers Millicent du soutien financier qu'elle lui procura alors.

En 1947, le quotidien communiste *l'Humanité* publia une histoire invraisemblable, et assez effrayante, suivant laquelle les Polonais fomentaient un complot avec l'extrême-droite dans le but de s'emparer de Paris. On ajoutait que l'hôtel Lambert abritait une importante cache d'armes. Les communistes eux-mêmes prévoyaient un rassemblement devant l'hôtel en guise de protestation. Affolée, la duchesse appela à l'aide l'ambassade de Grande-Bretagne, mais on lui répondit qu'on ne pouvait rien faire : la police de ce quartier de Paris était elle-même infiltrée par les communistes ! Millicent prit donc sur elle d'écrire à Maurice Thorez, qui était alors secrétaire général du parti communiste, afin de l'assurer qu'il n'y avait pas d'armes au Lambert. Elle l'invita même à venir prendre le thé pour qu'il vérifie par lui-même. Il vint, il vit, et elle vainquit !

La salle des Muses, vue par Alexandre Serebriakoff.

En 1949, quand je m'y installai, les choses s'étaient calmées. Je vois encore Millicent dans sa voiture, conduite par son chauffeur à côté duquel elle s'asseyait toujours. Un vieux mûrier

qui poussait dans le jardin qu'elle occupait fut à l'origine d'un drame. Les Czartoryski avaient décidé de le couper, elle s'y était opposée mais ils finirent malgré tout par l'abattre. Elle en fut ulcérée et décida aussitôt de partir.

Jusqu'à aujourd'hui, le jardin de la duchesse sur lequel donne mon appartement a gardé tout une série de petites tombes qui sont la dernière demeure de ses chiens adorés.

L'actrice Michèle Morgan fut elle aussi une des locataires du Lambert pendant plusieurs années. Elle y résida de 1955 à 1975[1] et avait repeint son appartement en gris amande. Quand Guy décida d'acheter l'hôtel Lambert, en 1975, il me fut très difficile de la persuader de partir[2]. Dans la vie, c'était une femme de caractère alors que dans ses films, elle avait la réputation d'être une comédienne délicate, sophistiquée et détachées des contingences. Née en 1920, elle avait passé les années de guerre à Hollywood où elle avait épousé l'acteur de cinéma Bill Marshall. Leur fils, Mike Marshall, est lui aussi comédien. Leur divorce en 1949 se passa assez mal. Elle était déjà rentrée en France à l'époque et avait obtenu à Cannes, en 1945, la palme de la meilleure actrice pour son rôle dans le film de Jean Delannoy, *La symphonie pastorale*.
Par la suite, elle se remaria avec Henri Vidal, un homme robuste et énergique qui mourut en 1959. Quand il partit se faire soigner dans une clinique, elle resta recluse dans son appar-

---

1 La comédienne y demeura en fait jusqu'en 1976, le temps pour elle de trouver un autre appartement, acheté pour partie grâce à la générosité de Guy et Marie-Hélène de Rothschild, comme elle l'expliquait dans une interview accordée en 2009, à J.-F. Cabestan : « Les Rothschild ont été charmants – je leur dois un souvenir agréable – parce que, très élégamment, ils m'ont dédommagée, ce qui m'a permis d'acheter cet appartement à Neuilly. »

2 On devine en effet dans l'interview déjà citée que les relations entre Alexis de Redé et l'actrice, qui était alors sa voisine du dessus, n'étaient pas particulièrement chaleureuses.

La galerie d'Hercule parée pour l'un de mes dîners.

tement, ne voulant aucune visite. Elle apprit la mort de son mari en appelant la clinique. Elle devait plus tard lier sa vie à un autre comédien bien connu, Gérard Oury, qui avait joué dans *Father Brown* et était d'un naturel heureux. Elle finit par arrêter le cinéma et se mit à peindre.

Je me souviens que je la voyais souvent avec son fils, qu'elle adorait, et j'ai été à plusieurs reprises le témoin des turbulences que peut traverser une star dans sa vie privée.

Il y eut encore bien d'autres résidents. Ghislaine de Polignac[1] a habité côté cour pendant un temps. Liz Fondaras, une Américaine mariée à un Grec, a habité au premier étage. Comme on peut le voir, cette vieille demeure a abrité pas mal de monde dans son histoire récente.

Pendant ce temps, mon appartement prenait vie. Victor Grandpierre[2] m'aida considérablement, surtout pour les pièces de l'étage. Quand la maison fut prête, je me lançais dans une activité mondaine sans retenue. Je ne devais enfin qu'à moi-même ma vie sociale ! Chips Channon[3], qui a tenu un journal[4] passionnant, a écrit après avoir dîné avec moi au Lambert en mai 1951 : « La journée d'aujourd'hui a été placée sous le signe d'une extrême élégance [...] Dans la soirée, Alexis de Redé – le Rastignac du Paris d'aujourd'hui – a donné un dîner en mon honneur. Dix-huit convives, le semi-gotha et la haute société. Alexis vit dans la splendeur du XVIIIe siècle, dans un gigantesque appartement de l'hôtel Lambert, sur l'île Saint-Louis. Nous avons dîné dans la salle des banquets, tous les salons attenants étaient éclairés a giorno, des valets de pied tenaient des flambeaux illuminés dans l'escalier, la vaisselle était en or... Bref : le palazzo Colonna en miniature ! Il est extraordinaire que de pareilles choses puissent encore exister à notre époque. J'ai été très heureux de revoir Étienne de Beaumont. Tous ces gens sont si intelligents, si fins, si décadents, si âgés, si maquillés, si civilisés. »

---

1 Ghislaine Brinquant (1918-2011), princesse Edmond de Polignac. Alexis de Redé lui consacre un passage important dans ces mémoires.

2 Victor Grandpierre, décorateur de l'après-guerre aujourd'hui un peu oublié, il décora la maison de couture Jean Dessès, au rond-point des Champs-Élysées, et celle de Christian Dior, 30 avenue Montaigne.

3 Sir Henry Channon, dit Chips Channon (1897-1958), homme politique et diariste anglo-américain. Conservateur, son mariage avec lady Honor Guinness contribua à lui ouvrir les portes de la Café Society.

4 *The diaries of sir Henry Channon*, Londres, 1967.

Les grands amateurs d'art

VIVRE À PARIS ENTRE LA FIN DES ANNÉES 1940 et le début des années 1950 avait quelque chose d'exceptionnel, cela ne fait aucun doute. Au gris souris des années de guerre succédait une lumière éblouissante : Paris brillait à nouveau de mille feux grâce à l'énergie dont certaines des grandes figures faisaient preuve et dont on n'a peu idée aujourd'hui.

DON CARLOS DE BEISTEGUI

Carlos de Beistegui était sans conteste l'une de ces grandes figures. Ses amis surnommaient "Charlie" ce monstre sacré de la scène parisienne. Il est bien sûr surtout connu pour le grand bal qu'il a donné à Venise en 1951 mais, personnellement, je le trouve surtout remarquable pour tout ce qu'il a entrepris à Groussay, qui doit véritablement être regardé comme son grand œuvre.

En matière de goût, Charlie a exercé une influence durable durant toutes ces années-là. Il était l'héritier d'une de ces grandes familles hispano-mexicaines qui avaient fait le choix de vivre à Paris. Il aimait les beaux meubles autant que les femmes séduisantes, tout en ayant fait le choix de rester célibataire. Perfectionniste en tout, il ne retenait que le plus beau en matière de mobilier, de tableaux et d'objets d'art. Ses amis avaient coutume de dire qu'il agissait de même avec les femmes car il avait une préférence marquée pour les duchesses. Il a eu pour maîtresses les femmes du monde les plus connues.

Charlie avait assimilé la quintessence du bon goût français dès sa jeunesse et il avait complété cette expertise reconnue de tous par une solide connaissance du goût européen. Il tenait en cela de son oncle, lequel s'appelait également Charles de Beistegui et a fait don au Louvre de la superbe collection de peintures qu'il a réunie sa vie durant.

Charlie avait d'abord habité un pavillon situé rue de Constantine, puis un appartement construit en 1930 par Le Corbusier au-dessus d'un immeuble des Champs-Élysées. Il finit par acheter, agrandir et embellir le château de Groussay près de Montfort-l'Amaury, faisant élever des fabriques dans le parc, aidé en cela par Emilio Terry, l'un des grands architectes du moment.

Il avait également acheté à Venise le très beau palazzo Labia dans lequel il devait donner son fameux bal, en 1951.

Il faut préciser qu'il n'était guidé que par son propre plaisir. Il se lançait à corps perdu dans chacun de ses chantiers, qu'il s'agisse d'une nouvelle fabrique pour le parc de Groussay ou de l'agrandissement de sa maison. S'il aimait qu'on vienne admirer son travail quand celui-ci était terminé, il ne laissait pas n'importe qui pénétrer chez lui. Il ne recevait que les amis du premier cercle et ne transigeait pas sur le fait qu'aucun antiquaire, aucun décorateur professionnel, ne

La salle des Dessins, vue par Alexandre Serebriakoff.

devait mettre les pieds chez lui. Ne l'intéressaient que l'art, les jolies femmes et les gens qu'il considérait comme élégants. Il faut croire que je l'étais suffisamment car il s'est toujours montré charmant avec moi.

Charlie a théorisé ce que doit être le style de la maison idéale. Son travail, dans les années 1940, a ouvert la voie à bien des personnes fortunées, leur montrant comment recréer autour d'elles une certaine atmosphère. On peut même dire qu'il a su créer l'équivalent français de ce que les Anglais recherchent pour leurs maisons de campagne, mais de manière plus flamboyante, avec des couleurs plus éclatantes et sans cette austérité victorienne dont souffrent tant de demeures anglaises.

Dans le hall de Groussay, on était accueilli par quelques trophées et par toute une série de symboles de la chasse même s'il faut bien avouer, le maître des lieux n'avait guère d'inclination pour cette activité. Cela donnait simplement un côté couleur locale. L'œuvre de Charlie proclamait d'emblée un goût prononcé pour le luxe ; on me permettra de penser que c'est un peu la conception du luxe telle que la conçoivent les Américains…

Mexicain de naissance, possédant un passeport espagnol, Charlie était parent des Yturbe et sa mère s'était remariée avec un authentique duc espagnol. La fortune venait de l'exploitation de mines d'argent. Sa famille avait fait le choix de quitter Mexico après l'exécution de l'empereur Maximilien en 1867, s'installant à Paris où Charlie devait naître en 1895. Le roi Alphonse XIII avait donné à son père la nationalité espagnole et, adolescent, Charlie avait été envoyé à Eton. Si la Première guerre mondiale n'avait pas éclaté il serait allé à Cambridge. Au lieu de quoi, la guerre l'obligea à rentrer chez ses parents à Paris, rue de Constantine.

Je ne sais pas quel pays ou quelle ville d'Europe avait sa préférence. Il avait une véritable passion pour tout ce qui était britannique. Les deux cultures française et anglaise sont manifestes à Groussay. La maison est tout à fait représentative du grand genre français, avec un salon très classique et des meubles garnis de la soie bleue la plus exquise qui soit. Les tapisseries (d'après des cartons de Goya) rappellent quant à elles l'Espagne ; on trouve aussi un salon hollandais avec une cheminée vénitienne.

Charlie n'avait jamais travaillé, même s'il suivait de très près les travaux d'embellissement de Groussay. Il aimait s'attarder au lit, un carton à dessin sur les genoux, dressant des plans compliqués dont il demandait ensuite qu'on les suive à la lettre. Il a probablement été inspiré par les travaux de Nancy Tree[1] à Ditchley, dans l'Oxfordshire. Sans doute aussi par les travaux

1 Nancy Lancaster (1897-1994), Américaine de naissance, propriétaire avec son mari le parlementaire britannique Ronald Tree, de Ditchley Park, dans l'Oxfordshire. Décoratrice d'intérieur, elle était propriétaire de la maison Colefax & Fowler et eut une influence considérable sur la décoration des maisons de campagne en Grande-Bretagne.

Carlos de Beistegui,
chez lui à Groussay.

plus contemporains entrepris par Marie-Laure et Charles de Noailles pour leur villa cubiste de Hyères.

En 1929, sa première commande fut un pavillon situé sur la terrasse d'un immeuble des Champs-Élysées. Il en chargea Le Corbusier, architecte surréaliste et ultramoderne, et batailla ensuite avec lui sur tous les détails concernant son projet. Le pavillon en question avait été élevé avec des murs de verre qui formaient un étonnant contraste avec les candélabres et autres boîtes à mouche en or qu'on trouvait à l'intérieur ! Il y avait même un nègre porte-torchère en porcelaine de Meissen, lequel en fait de Meissen n'était d'ailleurs qu'en plâtre. Charlie n'a jamais attaché beaucoup d'importance à la matière dont étaient fait les meubles ou les objets qu'il possédait : l'essentiel pour lui, c'était que cela paraisse authentique.

Il avait acheté Groussay en 1938, peut-être séduit par l'absence de prétention de cette demeure bâtie vers 1815. Ce n'était pas vraiment le genre de maison à laquelle on pense quand on parle de monument historique, et d'ailleurs quand Cecil Beaton la vit pour la première fois, il la décrivit comme une « maison de poupée avec une vaste orangerie, couleur miel, et toute une série de fenêtres ».

Charlie ne partit pas pour les États-Unis durant la guerre, à l'inverse d'Arturo et de tant d'autres. Il resta à Groussay tout le temps que dura le conflit, bénéficiant du statut de neutralité que lui garantissait son statut d'attaché à l'ambassade d'Espagne. La maison fut ainsi épargnée par les Allemands, mais aucun officier n'y fut reçu. La guerre ne parvint même pas à interrompre les travaux d'embellissements.

Charlie était épaulé par Emilio Terry avec qui la collaboration était harmonieuse. Celui-ci l'accompagnait dans ses tournées chez les antiquaires deux fois par semaine. Terry fut aussi pendant des années un hôte régulier le week-end. Charlie avait dessiné les plans et Emilio Terry s'occupait de suivre les travaux du chantier, cependant que Serebriakoff faisait de petites vues d'intérieur qui permettaient de visualiser ce que donnerait ensuite chacune des pièces. À la différence d'Arturo, qui appréciait d'abord un objet d'art pour sa valeur intrinsèque, Charlie cherchait d'abord l'effet que produirait un meuble dans une pièce donnée. S'il n'avait pas été aussi fabuleusement riche, il aurait pu devenir un très grand décorateur.

Mais de toutes les pièces de cette œuvre fabuleuse qu'est Groussay, aucune n'était aussi incroyable et aussi réussie que la bibliothèque, avec son escalier hélicoïdal permettant d'atteindre les rayons situés au niveau de la galerie dont les murs étaient littéralement tapissés de livres, couverts de médailles et ornés de bustes peints en trompe-l'œil. L'effet produit par cette pièce était à couper le souffle même si tout n'avait pas forcément une très grande valeur. En 1944, Cecil Beaton en fit une photo inoubliable, saisissant particulièrement bien les rais de lumière filtrant de l'extérieur. On a dit depuis qu'elle avait inspiré ce dernier pour les décors du film *My Fair Lady,* notamment pour l'escalier en colimaçon de la maison du professeur Higgins.

À la fin des années 1940, Charlie eut envie de bâtir un théâtre sur l'étang, au fond du parc, mais on se rendit compte que le sol était trop instable pour supporter l'édifice. Il décida alors de l'adjoindre au château lui-même. Dessiné par Emilio Terry sur le modèle du théâtre de la margravine de Bayreuth, le résultat fut cette merveilleuse fantaisie de bleu et rose, décorée de chandeliers vénitiens et de tapis multicolores achetés à Madrid.

Si Charlie aimait créer, l'intérêt qu'il portait à ses créations cessait aussitôt qu'elles avaient vu le jour. En 1957, j'assistai aux deux représentations qu'il donna dans ce théâtre (l'une pour le monde des arts, l'autre pour la bonne société) et nous eûmes droit à une pièce interprétée par les pensionnaires de la Comédie française. On donna d'abord *L'impromptu* de Marcel Achard, puis *La fausse suivante* de Marivaux.

Après ces deux soirées, il ne devait plus jamais y avoir de représentations : Charlie avait entre-temps redirigé son attention sur les fabriques et les folies qu'il avait décidé de faire construire dans le parc. Là encore, il inspectait minutieusement chacune d'entre elles durant tout le temps que durait leur construction pour s'en désintéresser ensuite totalement. Beistegui était un maître de maison à la fois généreux et plein d'imagination. C'était aussi un homme égocentrique, prêt à tout mettre en œuvre pour créer l'atmosphère exacte dans laquelle il avait décidé de vivre. Sans doute trouvait-il dans une certaine forme de confort le moyen de se protéger contre les aspects de la vie moins plaisants. Il concevait sa propre vie comme une œuvre d'art, un peu à la manière de Marcel Proust.

Malheureusement, à la fin des années 1950, Charlie fut victime d'une attaque cérébrale qui le laissa très diminué. Ses facultés s'en trouvèrent affaiblies, et même s'il parvenait encore à profiter du parc grâce à une petite Fiat qu'on avait aménagé spécialement pour lui avec un fauteuil pour handicapé, il était devenu irascible. On le surprenait parfois à donner des coups de canne rageurs sur la pelouse ; il avait irrémédiablement perdu cette générosité et cette intelligence si subtile que ses amis appréciaient chez lui auparavant.

Jean-Louis Remilleux, l'actuel propriétaire de Groussay[1], est un homme jeune et plein d'énergie et le propriétaire de la chaîne de télévision *Match TV*. Il a remeublé la maison et perpétue l'héritage Beistegui du mieux qu'il peut, dans une époque qui est aux antipodes de la société d'alors.

---

1 Jean-Louis Remilleux a revendu Groussay en 2012.

Paul-Louis Weiller était lui aussi un de ces hommes qui aiment à restaurer les grandes demeures. Il aimait les vieilles pierres comme il le disait lui-même. Il possédait plusieurs maisons, pas toujours très bien entretenues il faut le dire. Il était surtout très attaché à l'histoire d'une maison. Il achetait souvent des choses simplement parce qu'elles avaient appartenu à des gens célèbres, comme la maison de Tite Street, où avait vécu Margaret Thatcher avant de devenir premier ministre en 1979. Il avait également acheté le diamant dit du Jubilé, le cinquième plus gros diamant au monde[1], simplement parce qu'il avait appartenu à Brigitte Bardot.

À la différence de moi, Paul-Louis était entiché de noblesse et de têtes couronnées, et il en recevait le plus souvent possible. C'était très pratique : la plupart de ces gens étant incapables de s'assurer le train de vie royal qu'elles estimaient mériter et qu'il leur assurait simplement parce qu'il raffolait de leur compagnie ! Il disposait en effet de moyens sans limites.

Cinq ans durant, à la fin des années 1940, le duc et la duchesse de Windsor ont ainsi habité dans la plus grande des maisons qu'il possédait à Paris, au 85 rue de la Faisanderie. Le prince et la princesse Paul de Yougoslavie, la princesse Maria-Pia d'Italie et plusieurs autres altesses ont elles-aussi été logées pendant des années. Il prenait également sous son aile de jeunes artistes, dont certains auraient d'ailleurs tout à fait été capables de subvenir eux-mêmes à leurs besoins. Ainsi de Roland Petit et de Zizi Jeanmaire qui vécurent au Marais dans l'hôtel de Hollande[2] pendant des années, menant la vie de bohème à l'étage. Parfois, c'est à de jeunes beautés comme les sœurs Stroyberg (dont l'une devait par la suite épouser Roger Vadim) qu'il offrait l'hospitalité, devenant ainsi leur logeur sans exiger le moindre loyer en contrepartie.

Paul-Louis aimait qu'on l'appelle le commandant, en souvenir de ses exploits durant la Première guerre mondiale. Il avait en effet été un as de l'aviation et avait été décoré par plusieurs pays.

Il a eu une longue vie, tout à fait palpitante, avec des hauts et des bas. Il était de la même trempe qu'Onassis, que Niárchos et que Getty, sans être aussi connu toutefois du grand public. C'était un personnage énigmatique et on ne saura probablement jamais le nombre d'entreprises qu'il a possédé. Il avait coutume de dire qu'il menait ses affaires avec les méthodes du XXᵉ siècle afin de pouvoir vivre au XVIIᵉ ! Il avait des entreprises dans le monde entier mais n'en parlait

Paul-Louis Weiller (au centre, en chemise rouge) à la Reine Jeanne, sa villa près de Bormes-les-Mimosas. À sa gauche, Charlie Chaplin.

---

1 Trouvée en 1895 dans une mine d'Afrique du Sud, la pierre fut taillée et offerte à la reine Victoria en 1897 à l'occasion de son jubilé.

2 L'hôtel Amelot, dit aussi des Ambassadeurs de Hollande, dans le quartier du Marais. P.-L. Weiller en avait fait l'acquisition en mars 1951, le trouvant alors dans un état de délabrement avancé.

jamais, préférant évoquer ses projets philanthropiques, qu'il s'agisse d'hôpitaux ou de maisons de retraite. Il faisait preuve en la matière d'un solide bon sens : ayant ainsi observé qu'on reléguait souvent les personnes âgées à l'hôpital, dans les étages élevés, ce qui fait que personne ne venait jamais leur rendre visite.

Il fit lui-même construire un terrain de jeu pour enfants et qu'il entoura de maisonnettes destinées à de vieilles grands-mères. Chaque maisonnette avait une façade différente, ainsi avaient-elles l'air toutes uniques alors qu'elles étaient en fait identiques. Les enfants prirent vite l'habitude d'y venir jouer, et les grands-mères de les regarder jouer, ce qui leur faisait de l'animation ! C'était limpide, comme souvent avec les idées qui sont marquées de bon sens.

Paul-Louis était né en 1893, en Alsace. Il était le fils du sénateur Lazare Weiller, qui avait fait fortune dans l'extraction du cuivre et fut à l'origine du premier câble sous-marin posé entre la France et les États-Unis. Le sénateur Weiller avait également créé un prix destiné à récompenser la première personne qui serait en mesure de réaliser un vol d'une certaine distance dans les airs. C'est leur vol fameux qui permit aux frères Wright de remporter ce prix[1].

Il n'est dès lors pas étonnant que Paul-Louis ait été fasciné par l'aéronautique dès son plus jeune âge. Il devait par la suite commander la première escadrille de reconnaissance aérienne française et effectuer plusieurs vols en territoire ennemi durant la Première guerre mondiale, assurant des prises de vue avec un système qu'il avait lui-même inventé. Plusieurs blessures et une escarmouche avec le baron von Richthofen, le fameux "baron rouge", ne purent venir à bout de son courage.

Après la guerre, il devint administrateur de la société Gnome & Rhône dont il fit le premier fabricant de moteurs d'avion après Rolls-Royce. Un jour, confronté à une vague de grèves qui frappait à l'époque toutes les usines françaises, il eut l'idée géniale d'envoyer aux femmes de ses ouvriers l'assurance écrite que ces derniers toucheraient leurs salaires s'ils reprenaient le travail, leur promettant également quelques avantages. Aussitôt des dissensions apparurent parmi les grévistes. Leurs épouses les avaient remis au travail. Il gagna même par ce procédé six semaines de compétitivité sur ses concurrents !

C'est à cause de choses comme cela qu'il ne fut jamais très populaire. On racontait sur lui des histoires terribles, et pas seulement pendant la période de la Seconde guerre mondiale. En 1940, il fut arrêté par les autorités de Vichy et on lui retira toutes ses décorations. C'est à cette

1 L'Américain Wilbur Wright remporta ce prix par un vol effectué le 21 septembre 1908, dans la Sarthe, en présence du sénateur Weiller.

Paul-Louis Weiller.

Paul-Louis Weiller sur la plage devant la Reine Jeanne, avec son épouse Aliki et ses belles-sœurs.

Olimpia Weiller, belle-fille de Paul-Louis Weiller et Charlie Chaplin.

époque qu'il envoya son épouse Aliki, qui était d'origine grecque[1], aux États-Unis, avec leur fils et avec tous ses bijoux. Ce qui nous ramène à l'anecdote que j'évoquais plus haut.

Paul-Louis parvint finalement à s'enfuir à Cuba, mais Aliki et ses sœurs remuèrent ciel et terre pour l'empêcher de poser le pied sur le sol américain[2]. Ayant du temps devant lui, il décida alors de se consacrer à l'extraction du pétrole et fit à nouveau fortune. Pendant ce temps, la France de Vichy nationalisait toutes ses entreprises. C'est pour cette raison qu'à son retour en France, il devait décider de ne plus reprendre la moindre entreprise, s'occupant désormais uniquement d'activités philanthropiques. Il avait en revanche conservé plusieurs propriétés.

En 1930[3], Paul-Louis ayant écumé toute la Côte d'Azur à la recherche d'un lieu où il pourrait bâtir une villa, finit par en trouver un non loin de Bormes-les-Mimosas, disposant d'un large terrain avec vue sur la mer. C'est là qu'il dessina les plans et fit construire la villa Reine Jeanne, dotée d'une grande cour permettant de donner des dîners dehors. Il avait la passion des arbres et refusa qu'on en abatte un seul. Il fit élever la maison autour d'un arbre, et plusieurs autres se mirent par la suite à pousser sur la terrasse.

Nous lui avions rendu visite un été, dans les années 1950, alors que nous croisions au large sur la Gaviota. La maison était un peu fatiguée mais ne manquait pas de charme. Paul-Louis adorait mélanger les hommes politiques ou les figures de la bonne société avec des starlettes, cocktail étonnant qui faisait recette des deux côtés il faut l'avouer. Plus il vieillissait et plus la société qu'il recevait était jeune. Juste avant ses 99 ans, il passa son dernier été dans la villa, s'adonnant à la planche à voile à l'étonnement des autres visiteurs de la baie.

Il était très doué pour le ski nautique, activité qu'il pratiqua jusqu'à l'âge de 90 ans. Pour ses 80 ans, il s'était juré de sortir de l'eau pieds nus, manœuvre périlleuse qui nécessitait qu'on le tire d'abord depuis le hors-bord, qu'on veille à ce qu'il reste dans le sillage du bateau, qu'il jette bien ses pieds en avant puis se jette à l'eau au bon moment. Sa détermination à réussir était telle qu'il n'hésita pas à s'y reprendre plusieurs fois, parvenant à ses fins vers seize heures, devant des invités qui, bien qu'affamés, se forçaient à paraître admiratifs.

---

1 Paul-Louis Weiller avait tout d'abord épousé, en 1922, la princesse Alexandra Ghika.

2 Il n'est pas impossible que l'administration américaine ait gardé rancœur à l'avionneur français qui, durant les années 1930, pour préserver les intérêts de la société Gnome & Rhône, avait médiatisé les déboires de sociétés américaines concurrentes et désireuses de pénétrer le marché français.

3 C'est en réalité en 1932 que P.-L. Weiller acheta le terrain et fit construire cette villa où il recevait déjà avant-guerre Paul Morand et son épouse, née princesse Soutzo, et de nombreux amis.

Après son divorce d'avec Aliki, sa seconde femme, il décida de ne jamais se remarier, bien qu'il eût beaucoup d'autres petites amies, aidant d'ailleurs grandement à la carrière de certaines. L'une d'elles, Odile Redon, épousa par la suite le play-boy Porfirio Rubirosa.

Je suis allé avec Marie-Hélène de Rothschild au centième anniversaire de Paul-Louis, célébré à l'Académie des beaux-arts[1]. Il avait revêtu pour la circonstance son habit d'académicien, comme les membres de l'Institut venus le saluer. Malheureusement, ayant fait une chute peu de temps avant, il ne fut pas en état de monter à la tribune pour prononcer son discours. Quelqu'un le fit pour lui jusqu'à ce que tout à coup, on le voit se lever et improviser un discours qui reprenait à peu de chose près ce qui venait d'être dit, tout en étant prononcé de manière inintelligible. Personne ne savait quoi faire. Ses confrères académiciens tentèrent de le persuader de bien vouloir se rasseoir, essayant même de lui reprendre le micro, mais il résistait. Toute l'assemblée se leva pour l'applaudir à tout rompre, il n'eut alors plus qu'à se rasseoir.

Dix jours après, il accepta encore de déjeuner avec moi au Lambert, mais il ne devait plus jamais y revenir. Ayant vécu jusqu'à l'âge de 100 ans, il semblait avoir compris qu'il avait accompli tout ce dont il avait rêvé et se laissa alors doucement glisser. Il avait manifesté une grande excitation quand son fils avait épousé Olimpia Torlonia, la petite-fille d'Alphonse XIII et de la reine Victoria-Eugénie d'Espagne. Il aurait été très heureux d'apprendre que la fille d'Olimpia, Sibilla, sa petite-fille, épousa à son tour le prince Guillaume de Luxembourg, l'année qui suivit sa mort.

---

1 P.-L. Weiller avait été élu en 1965 à l'Académie des beaux-arts.

Les salons parisiens

A PRÈS-GUERRE, LES TROIS SALONS PARISIENS LES PLUS LANCÉS étaient animés par trois femmes qui portaient toutes le prénom de Marie. C'était Marie-Laure de Noailles, Marie-Louise Bousquet et Marie-Blanche de Polignac.

MARIE-LAURE

À Paris, la vie intellectuelle, la vie culturelle et partant, la vie sociale tout entière, furent dominées par Marie-Laure de Noailles, créature à la fois sophistiquée et fantasque, qui pouvait paraître sûre d'elle, donner l'impression de savoir toujours faire face quoi qu'il arrive puis, l'instant d'après, sembler fragile et nerveuse. C'était une femme vraiment douée, dotée d'un véritable instinct en matière d'art et de littérature. Elle n'était absolument pas conventionnelle, pouvait parfois se comporter fort mal, et même se montrer très cruelle envers ses amis.

Dans le même temps, elle vivait sur un très grand pied et faisait preuve de panache, elle savait se montrer généreuse et restait toujours positive. En fait, il est très difficile de faire son portrait. Comme Paris n'avait plus de système de cour, des femmes telles que Marie-Laure recréaient autour d'elles un cercle privé, choisissant les heureux élus dans des milieux très différents, les recrutant sur la base du talent ou du divertissement.

Marie-Laure était une de mes préférées. Elle a été une de mes inspiratrices et baignait totalement dans la vie artistique parisienne. N'étant elle-même pas dépourvue de talent, elle était un peintre tout à fait honnête, s'inscrivant dans la tradition de Bébé Bérard[1]. Elle avait aussi des dispositions pour la poésie. Marie-Laure vivait dans un milieu et dans une époque où il était considéré comme dégradant d'exposer ses propres toiles ou de publier ses livres. Son mari et elle ont fait plus que n'importe qui pour faire découvrir et pour aider des artistes émergents, qu'il s'agisse de musiciens, de peintres ou de romanciers. Ils ont été les grands mécènes de cette époque.

Elle a passé la plus grande partie du temps durant lequel elle a dominé la scène parisienne à faire des caprices, à se perdre dans des plaisirs éphémères ou à cancaner sur les liaisons supposées des autres, tout en ayant elle-même une vie sentimentale des plus confuses. Marie-Laure aurait pu être la reine et régner sur n'importe quel cercle, elle a finalement choisi de régner sur la Café Society.

Elle appartenait depuis toujours à ce petit cercle qui compose la vie parisienne, où tout le monde se connaît. En 1951, le compositeur américain Ned Rorem[2] observait déjà : « Il est assez

---

1 Surnom donné au peintre et décorateur de théâtre, Christian Bérard, dont il sera question plus loin.

Marie-Laure de Noailles.   2 Ned Rorem, *Journal parisien (1951-1955),* traduit de l'anglais par Renaud Machart, 2003.

facile de devenir le familier d'un des membres de cet olympe qui compose le noyau dur le plus snob de la vie parisienne. Il vous suffit de connaître un seul des élus qui en font partie, cela prend vingt-quatre heures (le temps d'assister à une seule soirée) et on les connaît tous, attendu que pris isolément, aucun d'eux ne connaît personne hors de son milieu. Ils ne sont pas plus de soixante-quinze personnes (parmi lesquels les musiciens occupent la position la plus élevée), aussi n'est-il pas difficile d'entrer en contact en vingt-quatre heures avec soixante-quinze personnes. » Ned avait raison : si on plaisait à Marie-Laure, on était assuré de connaître une vie passionnante.

Agitée, exigeante, véritable muse mais en même temps dominatrice, magnifique par certains aspects mais pathétique par d'autres, Marie-Laure est restée durant des années la flamme qui a éclairé la vie parisienne. Elle était excessive en tout, c'est vrai, mais c'était indubitablement une grande dame.

Dans le petit groupe de Marie-Laure, rien ne provoquait plus d'effervescence que l'idée de donner un nouveau bal. Jacques Fath[1] eut un jour l'idée d'en donner un où les invités ne pourraient pas être reconnus. Marie-Laure rebondit aussitôt en suggérant que les costumes pourraient être dessinés de telle sorte que seul un orteil, la pointe d'un sein ou le bout de la langue n'en sorte, donnant là le seul indice qui permette d'identifier chacun.

Rien ne l'amusait autant que lancer l'idée de participer à un jeu idiot. Elle pouvait demander tout à coup à ses invités de désigner celle de l'assemblée qu'on avait envie de jeter par la fenêtre. Ces petits jeux étaient généralement pris très au sérieux par les invités. Valentine Hugo[2] était présente le jour où cette question me fut posée, et c'est elle que je choisis. La pauvre éclata alors en sanglots et me demanda, toute agitée de spasmes :

« Mais pourquoi souhaitez-vous me jeter par la fenêtre ? »

Il ne faut jamais prendre ces jeux au sérieux…

Une nuit, une dispute éclata entre Marie-Laure et Arturo. Elle saisit alors l'éventail d'Aude de Mun[3] pour le frapper. L'instant d'après, on vit Aude en larmes et pleurnicher : « C'était un éventail de famille et maintenant il est en pièces ! »

---

1 Jacques Fath (1912-1954), couturier français parmi les plus importants de l'après-guerre. Il donna lui aussi deux bals dont la presse rendit compte, dans sa propriété de Corbeville, en 1951 et 1952. L'un sous le signe du XVe siècle, l'autre du Far West.

2 Valentine Gross (1887-1968), artiste peintre et illustratrice française, elle fut membre du groupe des Six et l'épouse du peintre Jean Hugo.

3 Aude Mesnard de Jannel de Vauréal, comtesse Antonin de Mun. Maîtresse de Beistegui, elle fut la seule à qui il proposa le mariage, ce qu'elle refusa.

Je n'ignorais pas que Marie-Laure était amoureuse de moi et qu'elle souhaitait m'épouser. Arturo en était à la fois flatté et ennuyé. Marie-Laure n'était pas jolie, elle avait un visage assez ingrat, l'exemple de ce que les Français appellent une "belle laide". Même si elle n'était pas dénuée d'une certaine allure, elle avait mauvaise mine à cause d'un fibrome qui lui donnait l'air d'être perpétuellement enceinte. On disait parfois d'elle qu'elle ressemblait à Louis XIV.

J'étais flatté que Marie-Laure de Noailles se soit entichée de moi, même si comme souvent avec elle, cela prit bientôt une tournure extrême. Quand elle annonça à Arturo qu'elle voulait se marier avec moi, j'étais avec lui et Patricia à La Garoupe. C'était durant l'été 1947, et elle venait tous les jours, en grande partie pour me voir moi. Même si cela amusait Arturo, je pense que cela devait quand même un peu l'exaspérer. Quand Marie-Laure désirait quelque chose en effet, elle était déterminée à l'obtenir et pouvait alors se montrer à la fois téméraire et sans pitié.

Marie-Laure appartenait à une famille de banquiers allemands et d'aristocrates français, ce qui amena l'abbé Mugnier à écrire que « tous les sangs se croisaient en elle ». Née à Paris en 1902, elle était l'héritière de Maurice Bischoffsheim, dont le père était un sénateur belge et la mère, une héritière américaine originaire du Connecticut. Il mourut alors qu'elle n'avait qu'un an. Sa mère était Marie-Thérèse de Chevigné, et sa grand-mère, Laure de Sade, passait pour avoir inspiré à Proust le personnage de la duchesse de Guermantes. Elle descendait elle-même du fameux marquis de Sade.

En 1923, Marie-Laure avait épousé Charles de Noailles, qui avait onze ans de plus qu'elle. Le couple eut deux enfants. Lui était le petit-fils du duc de Mouchy et jusqu'à son mariage, il avait toujours été un aristocrate plutôt classique. Il était également membre du Jockey Club jusqu'à l'incident dont j'ai parlé, incident qui le devait le conduire à présenter sa démission. Il devint par la suite un amateur de jardins reconnu. C'est lui qui guidait la reine mère quand, devenue veuve, elle choisit de passer ses vacances en France, chaque année au mois de mai. Il y prenait beaucoup de plaisir et passa ensuite le relais à Johnny de Lucinge. Il était quasiment aussi riche que Marie-Laure, leur mariage était de ce point de vue là tout à fait en rapport. On raconte que quelqu'un demanda un jour à Marie-Laure : « Ton mari aime-t-il les hommes ou les femmes ? » et qu'elle répondit : « Charles ? mais il aime les fleurs, voyons ! »

Ils vivaient tantôt chacun de leur côté, tantôt ensemble, mais formaient un couple attentif l'un à l'autre, se téléphonant et s'écrivant tous les jours dès qu'ils étaient séparés. D'ailleurs, même quand ils étaient sous le même toit, elle lui griffonnait un billet qu'elle glissait ensuite sous sa porte, auquel il répondait presque aussitôt.

Ils habitaient 11, place des États-Unis. Elle possédait une collection magnifique et faisait preuve de beaucoup d'imagination, plaçant une carte postale à côté d'une toile de Goya ou un ours en peluche près d'une coupe en argent d'Augsbourg. Elle aimait le mélange des genres, un peu comme dans sa vie.

Peu de temps après leur mariage, le couple avait conçu une villa extraordinaire à Hyères, dans le sud de la France. De style cubiste, elle avait été dessinée spécialement pour eux au lendemain de leurs noces par Robert Mallet-Stevens.

Charles avait la chance d'avoir pour voisine la romancière américaine Edith Wharton. Elle lui prodigua par la suite quelques conseils pour créer son jardin. Quand j'ai vu la propriété d'Edith Wharton, elle était à l'abandon et le jardin en friches. C'est devenu aujourd'hui un hôtel très cher.

Une visite à Hyères était à l'époque tout une affaire. Georges et Nora Auric vivaient tout près, ainsi que Tony Gandarillas[1], un Chilien qui jouissait de l'immunité diplomatique mais dont on se souvient surtout comme d'un opiomane. Nancy Mitford lui rendait visite chaque année : cela produisait un cocktail assez détonnant et donne une idée de l'animation qui pouvait régner dans la région.

Marie-Laure avait toute une série d'amants, pas toujours bien choisis ni très ragoûtants, et parfois Charles procédait à une discrète inspection, un peu comme l'aurait fait le tuteur d'une fille de bonne famille à marier. Avant la guerre, elle avait eu une liaison avec Igor Markevitch et cela avait tellement grevé ses finances que son mari avait dû intervenir et la placer sous sa tutelle. Il y eut aussi un amant allemand pendant l'Occupation. Peut-être s'agissait-il d'un Autrichien, comme elle le prétendit ensuite.

En ce qui concerne les amants des dernières années, je me souviens plus particulièrement de Tom Keogh, qui a dessiné des décors pour les ballets de Roland Petit et du marquis de Cuevas. C'est lui qui a fait les décors de *Kismet,* le film de Marlène Dietrich. En 1949, dans mon souvenir, Tom était un peu à la ramasse. Cette liaison constituait un étrange interlude : Tom, bien qu'homosexuel, était l'amant de Marie-Laure pendant que son épouse, Theodora Roosevelt, romancière à la fois fascinante et choquante, était la maîtresse du chauffeur, Fernand Bacchat, ce qui ne plaisait guère en retour à son mari. Bref, tout cela rendait leurs petits arrangements du soir assez compliqués.

À Noël 1951, Tom, en pleine dépression, commit une tentative de suicide assez spectaculaire au domicile de Marie-Laure. Il se tailla le poignet droit (il était gaucher). Il fut transporté à

---

1 Diplomate chilien, neveu d'Eugénie Errazuriz évoquée à plusieurs reprises par Redé dans ses souvenirs.

l'hôpital où, bien sûr, il survécut à sa blessure. Les tentatives de suicide étaient assez fréquentes chez Marie-Laure, en partie à cause de l'état de santé mentale de certains de ses hôtes et d'un usage immodéré de l'alcool. Robert Veyron-Lacroix fit partie du nombre. Un jour qu'il était ivre et qu'il avait le vin méchant, il avala une poignée de pilules et on dut le transporter, semi-inconscient, à l'hôpital. Le personnel était, j'imagine, blasé : à la longue, il avait appris à gérer ce genre de situation.

Ned Rorem était lui aussi l'objet de toutes les affections de Marie-Laure, mais son cœur était pris, ce qui était la source de grandes difficultés dans leurs vies respectives. Bon compositeur, il était bel homme et assez charmeur, taquinant aussi la bouteille à ses heures. On m'a dit qu'aujourd'hui c'était un vieux monsieur tout à fait rangé. À cause de ce qu'il y avait eu – ou pas – entre eux, Marie-Laure le logeait chez elle chaque fois qu'il passait à Paris, ce qui arriva assez régulièrement entre 1951 et 1970. Parfois, assez souvent de fait, d'humeur languissante, Marie-Laure disait à Ned : « La jeunesse, c'est ce qui restera quand nous serons morts ».

Elle fit tout ce qu'elle pouvait pour Ned. Il a eu raison de dire que c'est elle qui lui a donné les moyens de composer. Elle lui fournit trois pianos, lui organisa trois concerts, et lui assura le gîte et le couvert, l'habillant également. Il a écrit quelque part que le « côté glamour qu'on éprouvait à vivre tous les jours dans ses maisons de Hyères et de Paris – parmi les plus agréables et les plus riches du continent – était contrebalancé par l'obligation d'en passer par ses habitudes de travail et celle de trouver du talent chez l'aristocrate trop gâtée ». Voilà un testament précieux !

À la fin, elle s'installa avec un type assez désagréable, du nom d'Oscar Dominguez. Ned Rorem, toujours lui, a écrit qu'il se souvenait avoir observé le couple à Hyères en 1955, « tous deux gambadant sur le gazon, saouls, rondouillards, vieillissant, et nus comme au premier jour », l'image n'est guère attirante. Ned le connaissait mieux que moi et en a fait une description sévère : « un corps d'éléphant, une tête d'hydrocéphale et une certaine propension à tenir des propos totalement incompréhensibles ». Dominguez était un ivrogne, un Espagnol originaire des Canaries, mauvais peintre et vague suiveur de Picasso dont il n'avait ni le talent ni l'imagination créatrice[1].

Il était assez bon copiste malheureusement, même si le terme faussaire serait plus juste. Il se tailla un certain succès en faisant des copies des toiles de Picasso que possédait Marie-Laure,

1 Redé est un peu sévère : originaire de Tenerife en effet, Oscar Dominguez a laissé une œuvre originale, riche de paysages fantastiques d'une réelle densité. Lyriques et flirtant avec l'abstraction, ses toiles sont aujourd'hui très recherchées et leur cote dépasse les cinquante mille euros.

et en vendant les originaux quand il quitta Marie-Laure, laissant cette dernière persuadée que les Picasso qui étaient accrochés dans sa maison de Hyères étaient les originaux.

Il se suicida d'une manière plutôt curieuse en 1957, lors de la Saint-Sylvestre. Il exposait alors dans une galerie de la rive gauche, espérant une consécration qui ne venait pas. Il se fit couler un bain chaud, y entra puis se taillada les poignets et les chevilles. Ned émet l'hypothèse qu'il avait eu le projet de peindre une toile avec son propre sang. Il aurait mis au point ce macabre stratagème pour recueillir son sang mais en serait mort.

Ce n'est pas impossible. Marie-Laure fit enterrer son amant indigne dans le caveau familial. On organisa une vente Oscar Dominguez à Drouot qui fit des prix ridicules. Charles de Noailles s'y montra l'enchérisseur le plus consciencieux, il n'eut peut-être pas tort car aujourd'hui, les toiles de Dominguez, en raison des caprices de la mode, peuvent atteindre deux cent cinquante mille dollars.

Marie-Laure avait de son côté un œil très sûr. Elle me dit un jour : « Si tu veux devenir riche, achète un Max Ernst ou un Kandinsky ». Je ne suivis malheureusement pas son avis mais si je raconte cette anecdote, c'est parce qu'il est facile de se moquer d'elle à cause de ses nombreux excès et de son goût de la provocation. Elle avait aussi des qualités indiscutables.

En janvier 1951, Marie-Laure donna un bal costumé dont le thème était la Belle Époque. Elle reprenait ainsi le flambeau des Beaumont et perpétua la tradition durant toutes les années 1950. Il y eut de merveilleuses entrées pendant ce bal : Evangeline Bruce en comptable de Toulouse-Lautrec, coiffée d'une perruque rouge ; Mona Harrison Williams en chat noir et Daisy de Cabrol en femme tronc. Le groupe dont je faisais partie comptait aussi Arturo et Daisy Fellowes : nous étions quant à nous en costumes de bain. Ce n'était pas un rôle très difficile : nous devions nous prélasser dans le sable en mangeant du caviar. C'est à ce bal qu'eut lieu également la reconstitution fidèle d'un cabaret, supervisée par Cocteau, Poulenc et Février.

Cet événement fut un merveilleux antidote à la triste situation politique du moment, alors que chacun était persuadé d'une prochaine invasion des Russes et que diplomates et hommes politiques se préparaient à faire évacuer la population. En pareil cas, Arturo faisait toujours preuve d'une saine distanciation. Il demanda à Bill Patten, attaché militaire à l'ambassade des États-Unis : « Pensez-vous qu'il soit judicieux pour moi de continuer à planter mes herbes vivaces cette année ? »

Fort heureusement, il n'y eu pas d'invasion et la vie continua sans avoir à redouter les affreux préparatifs d'une guerre prochaine. Cet été-là, alors que la Gaviota voguait sur la Méditerranée, nous fîmes escale à Hyères afin de rendre visite à Marie-Laure. Il y eut un dîner chez elle, auquel assistaient, outre Arturo et moi, le critique Christian Mégret (qui n'avait pas encore publié son méchant petit roman intitulé *Danaë*), Ghislaine de Polignac qui était alors la maîtresse de Mégret, Marie-Laure et Ned. Ce soir-là, Marie-Laure qui avait bu une quantité de vin rien moins que raisonnable, voulut absolument se lancer dans une analyse comparée de l'art du dialogue dans les romans de Diderot et ceux de Henry James.

Arturo semblait trouver ce monologue assommant, ce qui n'échappa pas à Marie-Laure. Elle décida alors de pimenter autrement la soirée. Se tournant vers son majordome, Henri, elle déclara à haute voix :

— Ned est un cadeau que l'Amérique a fait à la France. Nous allons tous l'enc… Même vous, Henri.

Le domestique demeura impassible avant de se hasarder à répondre :

— C'est très intéressant, madame, mais puis-je objecter à madame que monsieur Rorem ne sera peut-être pas d'accord. D'autre part, madame me permettra de lui apprendre que je ne suis pas de ce bois-là.

À table, l'atmosphère commençait à se figer, une certaine tension se faisait sentir même si aucun des convives n'osait prendre la parole. Ghislaine, pourtant, décida de dire quelque chose et se tourna alors vers Ned :

— Est-ce possible, Ned ?

Ned lui-même ne répondit rien, cependant que Marie-Laure, baissant alors le regard comme si elle fixait ses pieds, murmurait :

— Hélas, moi non plus je ne suis pas de ce bois-là…

Marie-Laure possédait deux toiles de Goya, portraits du fils et de la belle-fille du peintre, accrochées dans le salon octogonal de sa maison, place des États-Unis. Charles tenta de la persuader de les donner à leur fille, Laure, de leur vivant, mais donner était bien la dernière des choses qu'elle aimait faire. Elle eut cependant une remarque très juste : « Il n'y a rien de plus cruel que de posséder de grands biens car ils vous survivent ». Comme elle avait raison.

Marie-Laure continua de régner jusqu'à sa mort, assez soudaine d'ailleurs, en janvier 1970, alors qu'elle n'avait que 67 ans. La manière dont elle fut enterrée dans la stricte intimité de sa famille maternelle étonna un peu. C'est comme si un voile tombait sur sa vie, sa famille mettant la main sur tous ses papiers, en détruisant peut-être même certains. Pourtant, si le grand public ignore aujourd'hui qui elle a été, ceux qui ont été de ses amis, eux, chérissent sa mémoire.

*
* *

MARIE-LOUISE

Marie-Louise Bousquet était une hôtesse de la vie parisienne des plus dynamiques. Elle était l'épouse du critique dramatique Jacques Bousquet. À la mort de ce dernier, elle était devenue l'attachée de presse pour la France de la revue *Harper's Bazaar*. Elle donnait des soirées chaque mercredi, qui étaient en réalité plutôt des réunions littéraires où il n'y avait rien à manger mais où l'on croisait tout le monde. Et vous pouviez être certain que si un étranger intéressant était de passage à Paris, il y serait présent lui aussi. Il y avait très peu à boire. Marie-Louise ne servait que du jus d'orange, peut-être un verre de vin mais pas plus. Elle avait très peu d'argent mais Josée de Chambrun, la fille de Pierre Laval, l'aidait de temps à autre.

Elle était très drôle et exerçait une réelle influence. Cecil Beaton la voyait comme une sorte de marionnette de fée Carabosse. Par la suite, ses mercredis devinrent des jeudis et le choix des invités fut alors moins académique. Comme devait le noter Johnny de Lucinge : « on vit alors de moins en moins Paul Valéry et de plus en plus Cecil Beaton ».

Marie-Louise Bousquet.

*
* *

MARIE-BLANCHE

Marie-Blanche de Polignac.

Marie-Blanche de Polignac était la fille unique de la créatrice de mode Jeanne Lanvin. Son père n'avait pas joué un rôle très actif dans son enfance mais elle avait été l'enfant chérie de sa mère. Elle était très jolie, à la fois fragile et romantique et, à cause du succès de sa mère, très riche aussi. C'était une femme intelligente, gracieuse et assez sûre d'elle. Elle était née en 1897. Sa mère n'avait que deux passions dans la vie : son métier et sa fille. On peut dire que grâce à sa mère, elle a porté du Lanvin dès sa naissance ! Elle-même ne faisait d'exception que pour enfiler un déguisement à l'occasion d'un bal costumé.

Était-ce parce qu'elle était à la recherche d'une figure paternelle, toujours est-il qu'elle devint l'amie de Georges Clemenceau qui, malgré l'immense gloire attachée à son nom après la guerre, vivait assez retiré et solitaire. On était en 1917, et c'était la fin de la Grande guerre. Marie-Blanche l'appelait "grand-père", ayant par la suite épousé son petit-fils, le docteur René Jacquemaire-Clemenceau. Ce dernier contracta la diphtérie auprès d'un de ses patients et en mourut. Quatre ans après, en 1924, elle épousa le comte Jean de Polignac.

Les grands bals

PEU DE TEMPS APRÈS LE BAL COSTUMÉ donné par Marie-Laure de Noailles en janvier 1951, la Café Society commença à se préparer pour un autre grand bal donné cette fois par Charlie de Beistegui à Venise, et destiné à rester comme le plus fameux des bals du xxᵉ siècle[1].

En France à cette époque, la plupart de ces bals étaient donnés par ceux qui, comme moi, redonnaient vie à une grande demeure. En ce qui me concerne, c'était là l'essentiel de mon activité. D'autres faisaient de même, Paul-Louis Weiller par exemple, qui restaurait l'hôtel des Ambassadeurs de Hollande, ou encore don Carlos de Beistegui, occupé à embellir le château de Groussay.

Charlie de Beistegui possédait également le palazzo Labia à Venise, c'est là qu'il donna son fameux bal à la fin de l'été 1951.

Nous y arrivâmes par bateau à la fin du mois d'août, le bal devant avoir lieu le 3 septembre. Il débuta à vingt-deux heures et dura toute la nuit. L'invitation que nous avions reçue prescrivait qu'il fallait se présenter en costume du XVIIIᵉ siècle, « avec masque et domino ». Cette nuit-là, la Venise de Longhi et de Casanova sembla soudain ressusciter et parader devant la grande fresque peinte par Tiepolo pour le Labia, *Le banquet de Cléopâtre*.

Tout a été dit sur ce bal, mais je crois vraiment que le plus étonnant fut encore l'atmosphère électrique qu'il suscita à Venise les jours précédents. C'est comme si la ville revenait à la vie : tout Venise en suivait les préparatifs attentivement. Le maire de la ville était communiste et les habitants avaient beaucoup souffert de la guerre qui les avait appauvris. Un évènement de ce genre aurait pu sembler déplacé mais le maire en était enchanté au contraire. Les Vénitiens aussi. Le bal prit place au lendemain de la grande régate annuelle durant laquelle le premier magistrat de la commune mit à disposition de Charlie et de ses invités les plus importants deux grandes barques de cérémonie. Cet évènement offrit une publicité considérable à la ville de Venise, et le séjour de quelques-unes des plus grosses fortunes de la planète venues qui par train, qui depuis son yacht, fut une source de revenus importante pour les restaurateurs, les hôteliers et pour tout un tas de commerçants. Charlie fut acclamé par les Vénitiens qui le considéraient comme le bienfaiteur de la ville, voire même comme son sauveur : celui qui y ramenait la vie de manière spectaculaire, en attirant dans la petite cité les personnalités les plus glamours et les plus célèbres du monde.

Soudain, en plein xxᵉ siècle, Venise renouait avec le XVIIIᵉ siècle, le temps d'une nuit. C'était tout simplement prodigieux !

Charlie de Beistegui en procurateur de la ville de Venise pour le bal qu'il donna dans son palais du Labia.

---

1 Le bal eut lieu le 3 septembre 1951.

Au fur et à mesure que les invités arrivaient à Venise et qu'on les identifiait comme étant des invités du bal, les acclamations fusaient depuis les ponts de Venise et la foule criait : « Beistegui, Beistegui » !

Nous étions de proches amis de Charlie, aussi nos cartons d'invitations nous parvinrent-ils très tôt, sans causer chez nous l'anxiété que connurent ceux qui tardèrent à les recevoir. Le jour même du bal, Charlie décida de se cacher dans une suite du Grand Hôtel afin d'éviter les crises d'hystérie de ceux qui prétendaient que, pour quelque raison inconnue sans doute, leur invitation ne leur était pas parvenue. Aude de Mun, qui était très proche de lui, avait été chargée des négociations, mais le plus souvent, à chaque cas litigieux qu'elle soumettait à Charlie, celui-ci répondait en frappant le sol de sa canne : « La réponse est non, non et non ! »

Le bal Beistegui fut incontestablement le plus brillant de tous ceux qui ont été donnés après-guerre. Les journaux ne parlaient que de cela et dans toute l'Europe, les invités ne semblaient plus se soucier que de leurs costumes et de la grande nuit qui s'annonçait. Ceux qui n'avaient pas les moyens de se faire faire un costume sur mesure ni de rivaliser avec les accessoires les plus somptueux, pouvaient au moins acheter chez Reboux un domino en velours orné de plumes d'autruches. Et si malgré cela ils se sentaient encore gênés, rien ne leur interdisait de rester anonymes derrière leur masque en ne le quittant de la soirée.

On m'a assuré que cet été-là, une armada de Rolls conduites par des chauffeurs en livrée avait franchi le col du Simplon, en direction de Venise, de grosses boîtes de chez Dior amarrées sur le toit, convoi qui formait une véritable « noria de cartons à chapeau de chez Reboux » ainsi qu'en témoigna plus tard l'un des invités. Même le grand garage Fiat qui se trouvait aux environs de Venise fut totalement saturé malgré une capacité de quatre cents places de parking.

La nuit qui précédait le bal, ceux qui devaient figurer dans un tableau vivant et faire ce qu'on appelle une "entrée" devaient d'abord répéter leur scène avec Boris Kochno, l'ancien secrétaire intime de Diaghilev, lui-même librettiste de ballet.

Les répétitions furent d'ailleurs l'occasion d'un incident assez comique : Aliki Weiller, celle-là même qui avait égaré un bijou à New York quelques années auparavant, était désormais remariée à John Russell. Diplomate, celui-ci était alors en poste à Rome et devait par la suite finir sa carrière avec le titre d'ambassadeur. Aliki apprit lors des répétitions qu'elle devrait le lendemain faire la révérence à Paul-Louis, son précédent mari. En effet, comme celui-ci figurait dans le tableau vivant imaginé par Diana Cooper, "Antoine et Cléopâtre", chacun des invités du bal devait, à son arrivée, s'incliner respectueusement devant le couple et sa suite.

Cecil Beaton dansant avec Barbara Hutton lors du bal Beistegui.

Il n'y avait plus le moindre sentiment entre Aliki et Paul-Louis, qui s'étaient déchirés durant la guerre, au moment de leur séparation, chacun voulant avoir la garde de leur fils. Aliki, aidée en cela par sa sœur, avait fait en sorte comme je l'ai dit, de rendre impossible l'accès du territoire américain à son ex-mari. Elle avait finalement entamé une procédure de divorce à Reno[1] mais l'antipathie qu'ils éprouvaient l'un pour l'autre était encore très vive à l'époque du bal. Finalement, les répétitions qui se prolongèrent jusqu'à deux heures du matin se déroulèrent sans histoire.

Charlie avait tout d'abord projeté de suspendre des tapisseries dans la cour du palais. Malheureusement, le ciel s'assombrit durant la journée et de gros nuages noirs firent leur apparition. Stoïque, le seigneur du Labia fit sortir et suspendre les fameuses tapisseries dans la cour quand le soleil parut de nouveau, pour être finalement contraint de les rentrer quand le ciel recommença à se couvrir. Au bout du compte, un orage éclata en milieu de journée, apportant une fraîcheur bienvenue et permettant au ciel de se dégager.

Dans l'intervalle, Charlie s'était retiré dans sa suite du Grand Hôtel, après avoir volontairement choisi une chambre qui ne fût pas équipée du téléphone. Aude de Mun continuait de jouer les cerbères, défendant sa porte vaillamment.

Cecil Beaton avait dû accepter de collaborer avec Oliver Messel[2], son rival en amour comme à la scène, pour habiller Diana Cooper en Cléopâtre. Cecil et Oliver avaient été tous les deux amoureux de Peter Watson dans les années 1930, et c'est Oliver qui avait été l'heureux élu. Quant à Duff Cooper, il portait cousue sous son costume une petite bourse contenant un flacon d'alcool. Il avait suffisamment fréquenté les soirées de Charlie pour savoir que l'alcool n'y était pas servi très généreusement, et il s'était douté que les entrées seraient longues et qu'il faudrait patienter des heures avant de pouvoir pénétrer dans le Labia.

Les autres invités étaient souvent moins bien organisés. Je me souviens encore de David Herbert courant en tous sens sur une place voisine avec son tambour crevé, l'air de quelqu'un

---

1 Après avoir longtemps cru que son épouse lui reviendrait, P.-L. Weiller se lança dans une longue procédure devant la justice française pour faire annuler le divorce prononcé (en son absence) aux États-Unis. La presse, présentant lady Russell, ex-Weiller, comme bigame, se délecta de cette affaire. P.-L. Weiller finit par pardonner et les deux ex-conjoints redevinrent bons amis.

2 Oliver Messel (1904-1978), décorateur de théâtre, proche dans sa jeunesse des Bright Young Things, on lui doit la restauration, après la guerre, des Assembly Rooms de Bath, endommagées par les bombardements allemands.

Lady Diana Cooper en
Cléopâtre au bal Beistegui.

qui va éclater en sanglots, répétant désespérément: « Y aurait-il quelqu'un qui sache remplacer la peau de ce tambour de l'armée des Indes ? »

Bien sûr, les couturiers étaient tous sur le pont, et les meilleurs coiffeurs (Alexandre notamment) avaient passé la journée sur place, courant d'hôtel en hôtel, une bombe de laque dorée dans une main et de la poudre à perruque dans l'autre. La ville de Venise n'était plus qu'une gigantesque maison de plaisir !

Le moment tant attendu arriva enfin. Le palais Labia est situé en retrait du Grand Canal, non loin de la gare de Venise, les gondoliers doivent d'abord remonter le canal avant de virer à droite pour approcher du Labia. Cette situation offrait aux spectateurs une vue imprenable sur l'arrivée des invités, et chaque pont de la ville était chargé de curieux. On applaudissait partout et l'excitation était générale. Il y avait quelque chose d'électrique dans l'air bien avant qu'on ne parvienne à hauteur du palais.

On avait prévu de distribuer de la nourriture et des boissons à la foule. Il y avait des jongleurs, des marionnettes, des feux d'artifice et même des mâts de cocagne. On vit même des invités se joindre à la foule et ôter leurs masques pour la plus grande joie des Vénitiens.

Charlie avait fait construire à l'opposé du Labia une estrade qui pouvait contenir quatre mille spectateurs. Les gondoles devaient patienter les unes derrière les autres avant de libérer des passagers dont les costumes étaient magnifiquement soignés. Il s'engagea une compétition parmi les invités: c'était à qui aborderait le premier au palais. La foule estima par la suite que l'arrivée la plus spectaculaire avait été celle de Diana Cooper, à cause des lumignons qui brillaient depuis les fenêtres du Labia et dont la lueur venait se refléter sur son visage, contre ses perles et sur sa perruque blonde, tous reflets exactement semblables au tableau de Tiepolo. Son style et son port altier avaient aussi quelque chose d'élisabéthain.

Le Labia est surtout connu pour sa pièce centrale dont le plafond est démesurément haut et orné de fresques de Tiepolo qui représentent Antoine et Cléopâtre. Ce soir-là, Diana Cooper était Cléopâtre accompagnée de sa suivante, et Fred de Cabrol représentait Antoine. Il y a aussi au Labia une enfilade de salons vraiment uniques. Comme chacun sait, à Venise, les eaux du Grand Canal viennent clapoter sur les façades même des palais, donnant ainsi l'impression que le tumulte de la cité pénètre jusqu'à l'intérieur des maisons.

Ce moment particulier du bal qu'on appelle les "entrées" occupa une place à part ce soir-là, même si certaines furent plus réussies que d'autres. Il y eut ainsi "trois sœurs siamoises", vêtues

Paul-Louis Weiller, Mme Malard, lady Diana Cooper, le baron de Cabrol et Mme Hersaint. *L'entrée de Cléopâtre*, au bal Beistegui.

130

de blanc et portant un masque noir : c'était la princesse Caetani[1], Jacqueline de Ribes et la princesse Colonna. Marie-Laure, quant à elle, n'obtint pas le succès escompté en "lion de Venise", un lion assez monstrueux je dois dire, cornaqué par Ned Rorem et quelques autres. Pas plus que Jacques Fath et son épouse, tous deux scintillants d'or mais dont l'entrée fut qualifiée par l'un des invités de « dessert trop sucré ». Aliki et son mari, John Russell (celui-ci vêtu en pacha, imitant ainsi son père qui avait bénéficié de ce titre avant lui), refusèrent de s'incliner devant Paul-Louis mais l'incident passa inaperçu – Paul-Louis ayant pris soin de rester à l'arrière-plan, drapé dans un étrange costume oriental. Il offrait un curieux visage dans cette époque de l'après-guerre : étonnamment à l'aise dans les affaires et très gauche en société.

Salvador Dalí avait dessiné le costume de Christian Dior, tandis que le vieil Aga Khan offrait un visage sinistre dans son costume de soie noir. Orson Welles était venu en smoking, s'y étant pris trop tard pour parvenir à trouver un déguisement original. Il avait eu soin toutefois de se couvrir la tête de plumes d'une manière très fantaisiste.

De son côté Daisy Fellowes figurait la reine de l'Afrique. Elle était souffrante ce soir-là et dut rester allongée tout l'après-midi avant de faire son entrée. Quand vint son tour, elle quitta son lit de douleurs et se matérialisa aussitôt en reine. Elle fut de loin la personne la plus élégante du bal. Je n'ai jamais vu personne se mouvoir avec autant de grâce. Elle avait indéniablement le style dans la peau.

Elizabeth de Breteuil-Chavchavadze était l'impératrice Catherine de Russie, son visage poupin serti de mètres et de mètres de velours noir. Elle était escortée d'une suite d'amants et de domestiques, parmi lesquels Chips Channon et Peter Coats. Ce fut d'ailleurs l'occasion d'une querelle stupide un peu plus tôt dans la soirée, à cause de la préséance à accorder au dîner : devait-elle être laissée à Bonnie prince Charlie – dont le rôle était tenu par Chips – ou à l'ambassadeur britannique, Coats (l'amant de longue date de Chips) ? La dispute alla si loin qu'on dut prendre avis auprès de Duff. Celui-ci répondit qu'une telle situation ne serait jamais arrivée à l'époque car la Grande Catherine aurait certainement pris soin de ne pas inviter ces deux personnes au même moment. Quant à savoir qui occuperait la première place à table, il ajouta que pour ce qui le concernait, il préférait encore rester à faire les mots croisés du *Times*.

Arturo, ayant toujours aimé la Chine et ses objets d'art, avait de son côté décrété que Patricia et lui feraient leur entrée en empereur et impératrice de Chine. Ils avaient su à merveille arborer

Mrs Reginald Fellowes,
née Marguerite "Daisy"
Decazes de Glücksberg,
en reine d'Afrique, avec
son page, Jamie Caffrey,
au bal Beistegui.

---

1 Il s'agit de Cora Caetani (1896-1974).

ce visage fermé, énigmatique et presque sinistre qui est celui des mandarins. Je figurais dans leur suite, pourvu d'une extraordinaire couronne mandchoue, ressemblant davantage il faut l'avouer au jeune et dernier empereur Pu-Yi. Les autres membres de notre suite, notamment le frère et la nièce de Patricia, ainsi que Georges Geffroy, avaient été pourvus de faux ongles démesurément longs. Nos tenues étaient les copies exactes de celles qui figurent dans la suite de tapisseries de la manufacture de Beauvais *L'histoire de l'empereur de la Chine*. On a dit que notre arrivée au Labia à bord d'une grande jonque chinoise avait constitué l'un des moments forts de la soirée, j'en accepte le compliment.

Soixante-dix valets de pied portant la même livrée que celle des valets de la duchesse de Richmond lors du bal qu'elle avait donné la veille de Waterloo accueillaient les invités. Des ballerines de la compagnie du marquis de Cuevas interprétèrent des sarabandes et des menuets dans la cour du palais. Les pompiers de la ville de Venise formèrent une impressionnante pyramide humaine de quatre niveaux dans la pièce centrale du palais, avant qu'une bande de géants n'y fasse irruption à son tour. À côté de ces intermèdes et du spectacle produit par l'arrivée des invités dans leurs costumes, le dîner fut excellent et les vins servis généreusement (ce qui n'était pas toujours le cas lors des soirées données par Beistegui). Il y eut aussi deux orchestres de jazz. Bref, la soirée fut une totale réussite.

La foule massée devant le palais acclamait toute personne qui apparaissait à une fenêtre, et régulièrement fusaient des appels à "don Carlos", ainsi que Charlie était désormais connu de tous les Vénitiens. Celui-ci était costumé en procurateur de la république de Venise, juché sur des échasses, ce qui le rendait ainsi visible de tous. Un autre temps fort de la soirée fut sans aucun doute celui où les invités décidèrent de sortir du palais pour se rendre sur le campo voisin et y danser avec la foule. Certains d'entre nous ne se couchèrent pas avant six heures du matin.

Le lendemain, comme Charlie et Aude de Mun sirotaient une limonade à la terrasse d'un café, place Saint-Marc, un cercle se forma spontanément autour d'eux. Il y eut à nouveau des vivats en faveur de don Carlos et on vit même, alors qu'il se promenait dans les rues, de pauvres femmes venir à lui, s'agenouiller et lui baiser la main en le remerciant de ce qu'il avait fait pour Venise. C'était vraiment très amusant.

Serebriakoff a immortalisé toutes ces scènes en faisant une série de superbes gouaches. Cet illustrateur d'origine russe était très connu pour la finesse et l'extrême ressemblance de ses vues d'intérieur. Ses dessins étaient si fouillés qu'on y retrouvait le moindre objet, la moindre miniature et jusqu'au plus petit bibelot de porcelaine présent dans une pièce. On a dit que le fisc français examinait parfois ses vues à la loupe, demandant aux familles à héritage comment

Mon costume
de serviteur mandchou
au bal Beistegui.

elles justifiaient l'absence d'un tableau au mur d'un salon alors qu'il apparaissait sur le dessin qui représentait la pièce en question !

Mais pour cette commande très spéciale, Serebriakoff se focalisa sur les invités eux-mêmes plus que sur le mobilier, et aujourd'hui encore, c'est une source d'amusement d'essayer de reconnaître chacun de ceux des invités qui ont contribué à faire de ce bal un évènement somptueux. Ce fut sans aucun doute le bal du siècle mais ce fut aussi, hélas, le crépuscule du Labia : Charlie le vendit en 1964[1], il abrite aujourd'hui les bureaux de la RAI, la chaîne de radio et télévision italienne.

Winston Churchill était lui aussi à Venise à cette époque. Il n'assista pas au bal Beistegui, préférant se rendre au festival de cinéma qui avait lieu sur le Lido. Sa femme Clemmie, en revanche, fut présente. Churchill se rendit quelques jours plus tard au bal Volpi. Les bals que donnaient les Volpi constituèrent jusque dans les années 1970 quelques-uns des grands rendez-vous mondains de Venise. Ils attiraient toutes les personnalités du moment.

Lili Volpi était en effet une des grandes hôtesses de l'époque. Née à Oran dans une famille israélite, elle était superbement belle. Arrivée en France, elle obtint rapidement un grand succès et épousa tout d'abord le joaillier Lacloche. Jeune femme encore, elle devint la maîtresse du dramaturge Henri Bernstein, alors célibataire, mais elle appréciait également beaucoup la compagnie des musiciens. Elle finit par tomber enceinte du comte Volpi, le père d'Anna-Maria Cicogna, lui offrant du même coup l'héritier qu'il attendait depuis des années. Il ne pouvait pas divorcer de sa femme, aussi Lili vécut-elle d'abord avec son jeune fils dans la splendide villa des Volpi, sur la Giudecca. Quand la femme de Volpi, qui s'appelait Nerina, mourut, ils purent se marier.

Elle commença alors à donner de fabuleuses soirées mais en vieillissant, elle devenait de plus en plus autocratique. Parfois même, il lui arrivait de frapper le sol avec sa canne et d'ordonner à un malheureux invité de quitter les lieux sur-le-champ.

Lors de ses derniers bals, il pouvait y avoir sept cents à mille personnes, la façade du palais Volpi était alors recouverte d'un velours cramoisi qui était du plus bel effet. Le palais était entretenu par une domesticité dévouée et tout entier garni de fleurs de lys et de jasmin montés en obélisques, ainsi que de brassées de tubéreuses. Le homard y était servi à volonté.

Arturo et Patricia Lopez en empereur et impératrice de Chine avec leur suite : Georges Geffroy en oiseleur et moi en serviteur mandchou.

---

1 La vente fut confiée à maître Maurice Rheims qui en fait le récit dans *Haute curiosité,* ouvrage paru chez Robert Laffont. Les sept cents objets mis aux enchères furent vendus pour plus de six cents millions de lires.

Arturo Lopez
et la comtesse Volpi,
Venise 1959.

Dans les dernières années de ces bals, on croisait des personnalités telles que Audrey Hepburn, Helmut Berger, et même Andy Warhol ou Bianca Jagger, certains d'entre eux n'ayant sans doute qu'une vague idée de qui était l'hôtesse. Cela donne une idée de qui elle recevait. Lili elle-même était d'ailleurs devenue assez pathétique. Elle était si myope qu'elle ne parvenait plus à reconnaître qui que ce soit. Elle finit par tomber malade, disparut de la scène, et finalement mourut à Rome.

Par son mariage avec Lacloche, elle était la grand-mère d'Olimpia Aldobrandini, qui devait épouser David, le fils de Guy de Rothschild.

Ainsi que je l'ai dit, vers la fin des années 1950, Charlie de Beistegui fut victime de la crise cardiaque qui devait tellement altérer son caractère et signifier la fin de Groussay. Mais entre-temps, à Venise en cet été 1951, on en était encore à jouir pleinement de la vie et de ses plaisirs. Nous n'avions toutefois pas compris que la jalousie aiguillonnait un rival, un rival qui se cachait parmi les invités du bal au Labia, bien déterminé à le surpasser à son tour en splendeur et en faste.

Le bal Cuevas

Le marquis de Cuevas en Vestris, lors du bal qu'il donna à Biarritz en septembre 1953.

Nous ne sommes pas allés au fameux bal costumé que le marquis de Cuevas a donné à Biarritz le 1er septembre 1953, mais il était bien sûr impossible de l'ignorer.

Le marquis de Cuevas était un de ces personnages qui se sont créé un monde à la hauteur de leurs rêves, et son rêve à lui c'était le ballet. Il donna son bal à une époque où il croyait qu'il allait mourir alors que, comme cela arrive souvent en pareil cas, il devait vivre dix ans encore.

Tout paré de plumes d'autruches et vêtu de lamé, il voulait en fait surtout assurer une certaine publicité à la compagnie de danse à laquelle il avait récemment donné son nom : le Grand ballet du marquis de Cuevas, et faire ainsi la promotion de la ville de Biarritz. Le thème de son bal puisait aux mondes de Goya et de Velasquez. Le photographe Henry Clarke avait été chargé des prises de vues.

Parmi les autres créateurs en charge du bal, Balmain, qui fut chargé de créer un tableau vivant. Malgré une grève des cheminots et des pilotes, ce dernier put arriver à temps mais par la route. Le bal trainait une telle réputation d'extravagance que le Vatican alla jusqu'à la condamner publiquement.

Né à Santiago en 1885, George Cuevas était chilien. Il avait été fasciné par Paris à la lecture de Proust. Après avoir débarqué dans la capitale française au début des années 1920, il avait commencé par travailler chez Félix Yousoupoff, qui tenait alors une maison de couture[1]. Cuevas avait la tête farcie d'idées originales, mais comme il était sans le sou, il y avait peu de chance

---

1 La maison de couture Irfé, contraction d'Irina et de Félix Youssoupoff, était située rue Duphot à Paris. Elle connut un réel succès dans les années 1920 avant d'être touchée par la crise de 1929.

Le marquis et la marquise
de Cuevas.

qu'il les concrétise jamais. C'est alors que très gentiment, la duchesse de Gramont le présenta à Margaret Strong, la fille un peu étrange d'un professeur installé à Florence, et surtout la petite-fille de John D. Rockefeller, le magnat du pétrole et fondateur de la fortune familiale.

Ils se marièrent en 1927 et – à cette époque en tout cas – le mariage fut considéré comme un mariage d'amour. Les Cuevas s'installèrent dans la maison de lady Michelham[1] à Saint-Germain-en-Laye. C'est là qu'ils donnèrent en juillet 1929 un dîner de deux cent cinquante couverts. Le jardin avait été transformé pour l'occasion en salle de bal et un orchestre de musiciens noirs y joua les rythmes endiablés à la mode à l'époque, alternant avec l'orchestre de musiciens blancs d'Enrique Bug.

D'une manière générale, si Cuevas avait les idées, c'est la fortune de sa femme qui leur donnait vie. En 1947, il succéda à Eugène Grunberg à la tête des Nouveaux ballets de Monte-Carlo et en fit la compagnie de danse qui portait son nom. Il y eut une première saison très réussie à Paris puis, chaque année, les productions de Cuevas furent présentées sur la scène du théâtre des Champs-Élysées, la Nijinska assurant la direction du corps de ballet. Le ballet de Cuevas ne se revendiquait d'aucune tradition, au contraire même il explorait de nouvelles voies, toujours prêt à se lancer dans l'expérimentation. Les danseurs faisaient ce qu'ils voulaient et comme souvent, certains d'entre eux connurent la célébrité, d'autres pas.

Cuevas était un personnage flamboyant, il agissait exactement comme il lui plaisait, s'appuyant sur de grandes vedettes et sur une publicité tapageuse pour attirer les foules.

Puisqu'il semble que nous ayons été quelques-uns à souffrir d'être les victimes de romans à clef, Cuevas n'a pas échappé à la règle. Il s'est retrouvé malgré lui le héros d'un roman de Theodora Keogh, la petite-fille du président Theodore Roosevelt, alors mariée à Tom Keogh, un artiste qui travaillait chez *Vogue* et dont il a parfois été dit qu'il était le successeur de Bébé Bérard. Son roman à clef, *The Double Door,* parut en 1952. L'intrigue reposait tout entière sur George. Mme Keogh le décrivait comme un autodidacte marié à une femme riche mais falote – la *marquesa* était en effet assez fanée quand je l'ai connue – tous deux habitant deux appartements contigus et communicants à New York. Au numéro 5 de la 65e rue Est, un certain Charlie, prétendument duc de Tolède, habitait avec sa femme Sheila, et recevait les personnalités issues de la bonne société. Grâce à un système de double porte, il pouvait facilement accéder à

---

1 Lady Michelham, née Bertha Capel, sœur de Boy Capel qui fut l'amant de Coco Chanel, épouse du premier baron Michelham dont elle hérita la très grande fortune dans des conditions qui justifièrent un procès assez médiatisé au début des années 1920. Célèbre *socialite,* elle vivait à Paris et était une intime de Youssoupoff.

Theodora Keogh, auteur de *The Double Door*, roman qui s'inspire de la vie de George Cuevas.

sa chambre située quant à elle au numéro 7 et recevoir là une société assez différente d'allure et de mœurs. C'est au 7 qu'il avait l'habitude de recevoir pour son seul plaisir un jeune Italien appelé Giovanni.

Sa fille, une certaine Candy, tombait amoureuse du jeune homme et le séduisait à son tour, consignant imprudemment le récit de sa liaison dans son journal intime sur lequel son père finissait par tomber. Comprenant alors de quoi il retournait, ce père concevait alors une terrible revanche contre l'amant et contre sa propre fille. À la fin du roman, le jeune Italien finit en prison, amer et solitaire.

Theodora Keogh décrivait George comme vivant en marge de son épouse, exigeant des antiquaires à qui il la présentait une commission sur ce qu'ils lui vendaient. Il trouvait ainsi le cash dont il avait besoin pour satisfaire ses menus plaisirs…

Il avait vécu une lune de miel cauchemardesque avec son épouse, au Ritz, et seul le souvenir d'un bel Indien au teint cuivré qu'il avait croisé peu de temps auparavant place Vendôme lui avait permis de durcir sa position et de satisfaire ainsi son épouse. L'auteur présentait la scène en question assez méchamment : « Dans un gémissement mêlé de joie et de tristesse, Charles avait finalement honoré sa femme, lui offrant ainsi ce qui allait devenir la pauvre Candy de Tolède ».

Le livre aurait tout aussi bien pu être inspiré à Mme Keogh par l'ennui qu'elle connaissait elle-même dans sa vie conjugale : son mari ayant entretenu une liaison avec Nathalie Philippart, l'épouse de Jean Babilée, tous les deux danseurs dans la compagnie de Cuevas en 1950. En juin de cette année-là, Babilée était venu au Lambert pour danser dans la cour, devant l'escalier d'honneur, un divertissement sur une musique de Rameau. J'avais fait tendre le sol de la cour d'un velours rouge, mes invités profitant du spectacle depuis les fenêtres à l'intérieur, des torches permettant d'éclairer la scène. Le prétexte de ce divertissement était d'aider à lever des fonds pour l'association L'Essor dont s'occupait Daisy de Cabrol[1]. Schiaparelli avait dessiné les costumes. Peu de temps après, Jean Babilée et Cuevas se brouillèrent, et il quitta la troupe avec Nathalie pour faire leurs débuts sur la scène parisienne.

Margaret de Cuevas possédait un appartement à New York, une maison à Palm Beach, un appartement rive gauche à Paris, une maison à Saint-Germain-en-Laye, une autre dans le sud de la France, un palais à Florence, et bien d'autres propriétés encore.

---

1 Marguerite d'Harcourt, baronne Fred de Cabrol, dite Daisy de Cabrol (1915-2011). Personnage important de la Café Society, elle dirigeait l'œuvre de charité de l'Essor pour laquelle elle donna de nombreux bals courus du Tout-Paris. Le couple Cabrol faisait partie des proches du duc et de la duchesse de Windsor.

En 1958, Cuevas eut une autre brouille, avec Serge Lifar cette fois. Le motif en était le suivant : George s'était permis de modifier quelques pas de danse dans la chorégraphie d'un ballet de Serge intitulé *Noir et blanc*. À l'entracte, Lifar passa un savon à Cuevas, ce dernier répliqua en lui envoyant son mouchoir parfumé au visage. Puisant dans ses origines russes tout le courage nécessaire, Lifar provoqua alors Cuevas en duel. Le duel était interdit en France, il fallut aux deux hommes trouver un endroit où croiser le fer discrètement. On choisit Cannes mais il s'avéra qu'en fait de lieu discret, le rendez-vous en question fut bientôt assailli par des douzaines de journalistes et de photographes. La rencontre fit même la couverture du *New York Times*. Aucun des protagonistes n'avait bien entendu fait quoi que ce soit pour éviter la publicité.

Le duel eut lieu, il y eu des entrechats et des pirouettes, jusqu'à ce que Cuevas n'effleure de l'épée l'épaule de Lifar d'où un mince filet de sang jaillit alors. « Le sang a coulé, l'honneur est sauf ! » s'écria Lifar, et les deux hommes tombèrent dans les bras l'un de l'autre. L'incident était clos.

En 1960, Cuevas s'effondra, victime d'une attaque cardiaque. Il comprit qu'il était en train de mourir et décida de monter un dernier ballet, « clin d'œil à la mort et au fisc » ainsi qu'il le dit lui-même. Il demanda à Robert Helpmann de collaborer avec la Nijinska pour monter *La belle au bois dormant,* avec Rosella Hightower pour ballerine et Raymundo de Larrain comme chorégraphe.

Le soir de la création, Cuevas fut transporté à Paris sur une civière. Quand il fit son entrée dans le théâtre, vissé sur une chaise roulante, la salle tout entière, composée pour une grande partie de princesses et de stars de cinéma, se leva et tournant alors le dos à la scène, lui fit une ovation. Il mourut à Cannes en 1961 et la compagnie fut alors reprise par un jeune chorégraphe.

Raymundo de Larrain prétendait être le neveu de Cuevas, il n'était en fait qu'un des types sans foi ni loi qui constituaient son cercle. C'était tout bonnement un gigolo chilien et l'un des petits amis de Cuevas, rôle qui n'avait d'ailleurs aucun caractère d'exclusivité ni pour l'un ni pour l'autre. Il était assez nerveux, avec un nez proéminent et des mains finement manucurées, sa tête dodelinait sans cesse quand il parlait. Il pouvait cependant se montrer charmant, il était d'ailleurs parvenu à charmer Jacqueline de Ribes. C'est elle qui fut son sésame dans la société parisienne où elle devait littéralement le propulser en lui demandant de coproduire avec elle le ballet *Cendrillon,* ballet qui eut un certain succès grâce au petit rôle qu'y tenait Géraldine Chaplin.

Raymundo de Larrain,
Jacqueline de Ribes
et Carlos de Beistegui,
juin 1957.

Avec Rudolf Noureev,
New York, 1979.

Avant de poursuivre sur le ballet de Cuevas, je dois raconter la fin étrange de la saga familiale. Larrain joua un rôle important dans l'histoire du ballet moderne, étant à l'origine de la défection de Noureev en juin 1961. Il avait d'abord courtisé Noureev quand celui-ci dansait au Kirov, peu de temps après la mort de Cuevas, cette même année 1961.

Margaret de Cuevas, sa veuve, s'apprêtait à dissoudre la compagnie mais Larrain la persuada de maintenir le ballet en recrutant Noureev. Il tenait absolument à ce que ce dernier fasse ses débuts parisiens dans *La belle au bois dormant,* qu'il avait prévu de monter le soir même où, à Londres, Noureev devait théoriquement danser avec le Kirov. Le petit complot fut ourdi et Noureev demeura caché à Paris un certain temps.

Finalement, Noureev dansa pour Larrain le 23 juin 1961, sept jours après avoir échappé au KGB, et sa prestation fut acclamée par un public debout. Ce soir-là, le ballet fut interrompu quatre fois par les applaudissements et on compta vingt-huit rappels !

Larrain garda Noureev sous contrat avec le théâtre des Champs-Élysées pendant un mois, espérant bien encore prolonger ce délai mais une dispute qui survint bientôt à propos des costumes ruina ses espoirs. Noureev le quitta alors.

Larrain était bien installé dans la société parisienne et aurait pu constituer une menace. Il rencontra Arturo et il ne fait aucun doute que ce dernier fut fasciné par lui. Avec cette habitude que Larrain avait de soutirer de l'argent aux riches, il représentait un réel danger pour moi. Après avoir été un temps l'amant de Jacqueline de Ribes, qui soutenait financièrement sa compagnie, il devint celui de Douce François, la nièce par alliance de Patricia Lopez qui habitait elle aussi rue du Centre, à Neuilly. Larrain croyait sans doute que Douce avait de l'argent, c'était la seule chose qui l'intéressait. Quelque temps après, il la présenta à Noureev dont elle tomba aussitôt amoureuse, voulant l'épouser comme elle avait voulu épouser Larrain. Finalement, dans les années 1970, Larrain et Douce se séparèrent. Curieux ménage à mon avis…

Entre-temps, la marquise de Cuevas, désormais veuve, avait cessé de fréquenter le monde, monde auquel elle n'avait jamais trouvé grand intérêt, occupant son temps à voyager de l'une de ses maisons à l'autre et ne voyant plus personne. En 1977 pourtant, à la surprise générale, elle épousa Larrain à Washington. Elle avait 80 ans et lui 42. Il l'appelait toujours "tante Margaret"!

L'histoire connut une triste conclusion : la marquise, coupée de sa famille par Larrain, droguée de telle façon qu'elle ne savait plus ce qu'elle faisait, ayant interdiction de voir qui que ce soit, finit par signer et par autoriser des transferts d'argent pour des montants considérables en faveur de Larrain.

À sa mort, en 1985, à l'âge de 88 ans, les enfants Cuevas, John (qui avait épousé la nièce d'Alexandre Iolas[1], le galeriste), et Bessie (Elizabeth, sculpteur installée aux États-Unis), intentèrent un procès contre lui. On les avait tenus éloignés de leur mère et ils ignoraient jusqu'à l'endroit où ses cendres avaient été dispersées. Désormais, Larrain était le propriétaire des maisons de New York, de Palm Beach et du Chili.

L'histoire ne pouvait pas manquer de mal finir : Larrain mourut du sida en 1988. Le procès se poursuivit. Deux toiles de Dalí, *Marine avec allégorie*, et *Costume de nudiste avec morues* passèrent en vente chez Sotheby's. Toutes deux avaient appartenu à la marquise mais étaient désormais la propriété de Larrain si l'on s'en remettait à un papier signé à Madrid en 1985. Les deux tableaux avaient semble-t-il été dérobés dans l'appartement de Larrain. Ils réapparurent en 1994 et furent de nouveau confiés à Sotheby's, qui les vendit en 1995.

Ainsi finit l'histoire de Cuevas et de son ballet.

Mais revenons à l'année 1953 et à ce fameux bal Cuevas qui suscita un véritable engouement parmi les invités, et sut retenir l'intérêt de la presse, intérêt pas toujours bienveillant d'ailleurs. Indéniablement, il fut aussi brillant que le bal Beistegui, mais qui suis-je après tout pour en juger, n'y ayant pas assisté moi-même ? J'aurais tendance à faire confiance à Elsa Maxwell qui participa aux deux bals. Voici ce qu'elle a écrit du bal de Biarritz : « il y avait un côté plus authentique chez les invités... mais on ne pourra jamais éclipser un bal vénitien auxquels les invités arrivent en gondole ».

---

1 Alexandre Coutsaudis, dit Alexandre Iolas (1907-1987), issu d'une famille grecque d'Alexandrie. Il reçoit une formation musicale qui lui permet d'espérer devenir pianiste classique. Parti pour l'Allemagne dans ce but, l'arrivée des nazis l'oblige à s'installer en France. À Paris, il devient danseur classique. La guerre l'amène à émigrer aux États-Unis où il devient un galeriste réputé. C'est lui qui fit notamment connaître Nicky de Saint-Phalle aux Américains.

Tout au long de la nuit, les ballerines de Cuevas se relayèrent pour interpréter des extraits du *Lac des cygnes* et d'autres ballets.

Cuevas voulait faire connaître la côte basque, pensant ainsi faire plaisir aux communistes. Mais, à la différence de Beistegui, qui avait obtenu le soutien du maire de Venise, George fut desservi par les manchettes de la presse internationale qui présentaient le bal comme un évènement d'un manque de goût scandaleux. Des rumeurs assurant que le "beau monde" déclinerait l'invitation qui lui était faite commencèrent à circuler. On prétendit que ni les Windsor, ni la duchesse de Kent, ni Greta Garbo ne seraient présents, leurs noms s'étalant en grand dans les journaux comme ceux d'invités présumés.

Un article de l'*Osservatore Romano,* l'organe de presse du Vatican, finit par condamner le bal en ces termes : « Des soirées telles que celles de Biarritz sont une insulte à la misère et un défi jeté à la souffrance des populations concernées ». Le ver était dans le fruit avant même que le bal n'ait lieu. Le marquis d'Arcangues, qui s'était toujours regardé lui-même comme le "roi de Biarritz", nourrissait une certaine rancune contre Cuevas : dans un élan de jalousie, il fit envoyer cinquante télégrammes annonçant que le bal n'aurait pas lieu en raison d'un soudain malaise du maître de cérémonie. Bien des gens étaient sur le point d'annuler leur participation quand le complot fut découvert. C'est alors qu'une grève qui touchait les avions comme les trains paralysa la France.

Le bal avait pour cadre le XVIIIᵉ siècle et le monde de Goya. Cuevas parut en roi de la nuit, plus impérieux que jamais, escorté par des danseurs qui figuraient les quatre saisons.
Deux mille cinq cents invités répondirent présent et l'on compta vingt-deux entrées. Quand tout fut fini, le bal fit la une du magazine *Life* et de bien d'autres publications. L'hostilité qu'il avait suscitée ne cessa pas pour autant. Seul, l'organisateur fut sommé de s'expliquer. « Que je sache, quand un producteur de cinéma investit des millions dans un film insipide, personne ne trouve rien à y redire » se contenta-t-il de déclarer.

En ce qui me concerne, de ces deux bals je suis heureux d'avoir participé à celui de Venise.

La Gaviota 1953-1959

J'AI DIT QUE LA PLUPART DES GENS QUE J'AVAIS CROISÉS dans ma vie avaient été pleins d'attentions pour moi. Cela n'a pas été le cas de tous. J'ai encore le souvenir d'une attaque particulièrement désagréable dont je fus la victime à travers le roman *Danaé*, roman écrit par Christian Mégret en 1953.

Avant de parler de ce livre, que je n'ai d'ailleurs pas pris la peine de lire, je voudrais clarifier certaines choses qu'on a colportées sur moi. Aucune d'entre elles ne m'a véritablement surpris : le "beau monde" est réputé avoir la langue bien pendue, et ceux qui ont profité de votre hospitalité ne sont pas toujours les plus reconnaissants.

La première attaque en règle fut un article écrit par quelqu'un que je reconnus être Jean-Louis Lacloche[1]. Il y était question d'un type appelé "Emmanuel" mais qu'on surnommait en réalité "la Pompadour". C'était clairement de moi qu'il s'agissait, on le comprenait d'ailleurs assez vite à la lecture de l'article qui précisait que l'Emmanuel en question avait un amant chilien fabuleusement riche, ainsi qu'un hôtel particulier sur l'île Saint-Louis. L'article assurait ensuite que la propre épouse du Chilien, ainsi qu'une certaine comtesse, étaient éperdument amoureuses de moi. Pour la comtesse, j'imagine qu'il s'agissait de Marie-Laure.

Nancy Mitford m'a elle aussi poignardé dans le dos. Elle était assez triste et plutôt amère dans la vie, étant venue habiter Paris dans le fol espoir que Gaston Palewski l'épouserait. C'était un véritable coureur et il ne comptait pas changer ses habitudes pour elle. Il expliqua d'abord à Nancy que sa religion lui interdisait d'épouser une divorcée. Ce qui arriva par la suite est assez classique : il plaqua Nancy pour épouser une autre femme, divorcée justement : Violette, duchesse de Sagan et fille d'Anna Gould. Nancy ne s'en remit jamais tout à fait. Dans une lettre à sa mère, voilà ce qu'elle a écrit sur moi : « Tout le monde pense que c'est Redé qui se cache derrière Raeder bien qu'il prétende lui être Baltic, d'ailleurs le magazine *Samedi soir* le surnommait encore la "Pompadour de notre époque". Il ne vit que pour le luxe, la beauté et la vie mondaine – un Cédric en moins vivant. Il ressemble à une épingle à cravate : mince, droit comme un i et toujours impeccable, avec une tête minuscule qui semble fixée au bout d'une nuque toute raide. Pas laid d'ailleurs, encore que je préfère son mécène, un Chilien enjoué et poupin du nom de Lopez que je ne parviens pas à détester à cause de sa splendide collection d'argenterie Louis XIV ».

---

1 Il s'agit en fait de Jacques Lacloche (1865-1900), joaillier appartenant à une célèbre dynastie originaire de Maestricht, installée en France, en Espagne et en Grande-Bretagne à la fin du XIXᵉ siècle et parvenue, en quelques décennies, à un niveau d'excellence comparable à celui de maisons telles que Fabergé ou Van Cleef & Arpels. La maison eut plusieurs adresses, dont une place Vendôme et son activité perdura jusqu'à la fin des années 1960.

Louise de Vilmorin n'est pas en reste : en 1950, au retour d'un dîner chez Maxim's où elle m'avait vu assis à côté de la propriétaire de l'établissement, Mme Vaudable, elle m'a décrit comme portant avec élégance « une jolie tête de mort ». Plus tard, après un bal que j'avais donné, elle a écrit cette fois que j'étais pourvu d'un « joli squelette ».

Ned Rorem ne s'est pas montré très tendre pour mon petit groupe de familiers non plus. Il nous a décrit Arturo et moi comme n'étant « ni tout à fait intellectuels, ni tout à fait idiots non plus. Arturo – ayant laissé sa fortune sud-américaine aux mains du génial Alexis – n'a plus qu'à passer la journée à siroter un cocktail pendant que l'argent fait des petits ». Je ne peux souscrire à de pareilles fadaises[1].

Tout comme je ne peux valider, on le comprendra, les propos de James Lord[2] sur notre petit cercle : « C'était l'avènement de la Café Society, phénomène assez répugnant qui avait fleuri sur les débris vieillissants du monde de Proust. Paris se mettait en quatre pour des gens comme Elsa Maxwell, Cole et Linda Porter, les Murphy, les Fitzgerald ou encore Miss Hoyt Wiborg[3], sans parler de ces milliardaires sud-américains comme les Arturo Lopez, les Anchorena et les Patino, tous plus occupés par l'idée de s'amuser que de savoir avec qui ou par quels moyens. »

Fort heureusement, dans ses comptes rendus, Elsa Maxwell a été plus bienveillante avec moi : « Il n'y a personne à Paris pour donner un dîner comme le fait Alexis de Redé, écrit-elle, il est le digne successeur de Boni de Castellane ».

Toutes ces descriptions tirées d'articles ou de livres qui ont paru au fil des années m'amusent assez. La plupart des gens supportent à la rigueur l'idée de faire l'objet d'un bon mot mais ils vivent généralement très mal d'être décrits durement par leurs contemporains. Arturo ne savait pas toujours se montrer philosophe en pareils cas. Il était connu pour se livrer à des querelles sans fin avec les amis qui l'avaient égratigné.

---

1 Peu rancunier, Alexis de Redé conserva néanmoins toute sa vie le livret d'un ballet conçu en 1951 par Marie-Laure de Noailles et mis en musique par Ned Rorem : *Melos*. La partition, dédicacée par le compositeur « au baron de Redé » figure sous le n° 778 dans le catalogue de sa vente.

2 James Lord (1922-2009), mémorialiste américain et critique d'art. Débarqué en France comme jeune soldat dans l'armée américaine, son aplomb, un joli visage et un intérêt réel pour l'art le firent rapidement accepter dans la Café Sociéty.

3 Mary Hoyt Wiborg (1888-1964), riche Américaine d'origine new-yorkaise, installée en France où elle servit dans la Croix-Rouge durant la Première guerre mondiale, et dans la Résistance durant la Seconde.

En 1932, il avait été le sujet d'une pièce en quatre actes d'Édouard Bourdet, intitulée : *La fleur des pois.* L'histoire d'un homme ayant plus d'argent qu'il ne peut en dépenser. Après tout, une pièce de Bourdet, c'est toujours un chef-d'œuvre !

Je peux en revanche comprendre sa colère à la parution de *Danaé*, le livre de Mégret. Il y vit une trahison et un coup bas dirigés contre moi, et il en voulut beaucoup à Ghislaine de Polignac. Elle faisait partie de notre cercle, elle était souvent reçue par Arturo comme par moi. Ghislaine avait quitté son mari, le prince Edmond de Polignac, et lui avait intenté un procès afin de pouvoir garder son nom. Christian Mégret, lui, était un homme à femmes, il avait beaucoup de succès auprès d'elles et c'est à cause de lui que Ghislaine avait quitté son mari. Piètre critique dramatique, il est l'auteur de plusieurs romans qui ont paru chez Fayard, Plon et Julliard.

Je n'ai pas lu *Danaé* et je n'ai aucune intention de le faire. Certains passages du roman faisaient directement référence à ma vie et seule Ghislaine de Polignac pouvait les avoir inspirés. Le livre fut assez lu à Paris pendant tout une saison et chacun ne parla plus alors que de l'injure qui m'était faite. Arturo était blême de rage : il décida de ne plus jamais adresser la parole à Ghislaine, et désormais sa maison lui fut interdite. Par la suite, il finit par lui pardonner et de mon côté je continuai de la considérer comme une amie. Elle avait un certain abattage et débordait d'énergie, ce qui en faisait quelqu'un d'incontournable dans la vie parisienne. C'est une survivante[1] de cette époque et a toujours su s'adapter comme un caméléon aux changements.

Il n'y a pas si longtemps, un de mes amis a trouvé quelque part en Corse un exemplaire de cette *Danaé*. L'ouvrage est assez volumineux : plus de 450 pages. Il est assez piquant à ce qu'il paraît, même s'il comporte quelques passages pornographiques. Mon personnage se nomme Rainer Freudenberg. Il est d'abord présenté comme un enfant gâté et égoïste, doté de certains partis pris esthétiques. Il devient ensuite un jeune homme avare, bien déterminé à tout mettre en œuvre pour se faire une place au soleil. Je ne suis décidément vraiment pas tenté de le lire…

Au tout début des années 1950, Patricia entama une liaison avec Jean-Pierre Grédy[2], l'auteur dramatique. Il n'ignorait rien de nos petits arrangements et sut très bien se débrouiller. Ce fut une période à part dans sa vie.

---

1 Décédée en janvier 2011, Ghislaine de Polignac était toujours en vie quand Alexis de Redé entreprit de rédiger ses souvenirs.

2 Jean-Pierre Grédy (né à Alexandrie en 1920), auteur dramatique à succès avec son complice Pierre Barillet (né en 1923). On leur doit notamment *Fleur de cactus, Folle Amanda,* ou encore *Quarante carats,* toutes pièces

Il jouissait avec son co-auteur, Pierre Barillet, d'une grande renommée. Ensemble, ils écrivaient des pièces à succès qui reposaient sur des quiproquos très drôles et sur d'invraisemblables rebondissements, tout cela révélait un sens de l'observation remarquable. Deux de leurs pièces au moins ont eu un succès international.

Fleur de cactus, qui est toujours jouée dans certaines capitales européennes, a connu un énorme succès à Broadway quand la pièce a été montée par Abe Burrows et David Merrick. La pièce confirma d'ailleurs l'exceptionnel talent de comédienne de théâtre de Lauren Bacall, et elle la joua régulièrement entre 1966 et 1968. La pièce connut le même succès quand elle fut adaptée pour le cinéma, avec Ingrid Bergman et Walter Mathau, et la toute jeune Goldie Hawn, qui faisait là sa première apparition. *Quarante carats* fut l'autre pièce de Barillet & Grédy à jouir d'un succès international.

Je suppose qu'à cette époque, il était difficile pour Jean-Pierre et moi d'être amis mais aujourd'hui pourtant c'est le cas, et Jean-Pierre vient déjeuner régulièrement. Il est vrai que dans cette époque reculée, il a dû être le témoin de situations assez peu banales…

Quand je ferme les yeux en pensant à l'année 1952, je revois la mort du roi George VI d'Angleterre et le début d'une nouvelle ère élisabéthaine. Les Français adorent la monarchie et ils aimaient sincèrement ce souverain tranquille qu'était le roi George. Ils furent bouleversés en voyant les images de la jeune reine descendant d'avion, prête à assumer ses responsabilités. Au moment où j'écris ces lignes, la reine vient juste d'achever une visite d'État en France[1], cinquante-deux ans après être montée sur le trône. Je me rappelle très bien ses précédentes visites, spécialement celles de 1957 et de 1972, même s'il y en a eu d'autres. Chacune de ses visites de ce côté-ci de la Manche déclenche quelque chose de spécial et il me semble que plus on vieillit, plus on est sensible au principe de continuité qu'elle représente.

Quand le roi mourut, en février 1952, l'ambassadeur des États-Unis, David Bruce, et son épouse Evangeline, s'apprêtaient à quitter Paris où ils avaient été en poste trois années durant. Depuis leur arrivée en 1949, les Bruce étaient extrêmement appréciés des Français qui n'ignoraient pas l'excellent travail qu'avait accompli l'ambassadeur, celui-ci étant parvenu à maintenir d'excellentes relations entre la France et son pays malgré certaines difficultés comme la question de la Corée, le maccarthysme et l'action des États-Unis en Tunisie et au Maroc.

à succès dans les années 1960 et 1970 et qui connaissent actuellement un nouvel engouement. Amant un temps de Patricia Lopez-Willshaw, Grédy a laissé des mémoires passionnants : *Tous ces visages* (2007).

1 Il s'agit de la visite effectuée en avril 2004, sous la présidence de Jacques Chirac.

Je n'ai jamais beaucoup aimé les dîners officiels, ils sont très formels. Vous ne connaissez pas la plupart des invités, lesquels de leur côté ignorent tout de vous et s'en soucient comme d'une guigne. Il y a toutefois quelques exceptions qui méritent d'être saluées, les soirées des Duff Cooper et des Bruce étaient de celles-là.

Il n'avait pas toujours été facile pour les Bruce de présenter leur pays sous son meilleur jour. Il y avait d'abord eu le procès puis l'exécution des époux Rosenberg, accusés d'espionnage. On avait le sentiment que l'affaire n'était pas très claire. On les avait maintenus en captivité deux ans, leur laissant ainsi l'espoir d'une libération possible, pour finalement les condamner à mort puis les exécuter.

Il y a toujours une note d'humour noir avec ce genre d'évènements, en l'occurrence on a parfois fait preuve d'un humour déplacé en prétendant que jusqu'au dernier moment, M. Rosenberg avait manifesté une réelle curiosité en voulant connaître le mécanisme de la chaise

électrique sur laquelle il était justement assis. L'un des bourreaux auxquels il posait ses questions lui aurait ainsi répondu : « Ne vous inquiétez pas, monsieur, on va vous mettre au courant ».

Arturo, Patricia et moi nous étions rendus à Londres pour le couronnement de la reine, en juin 1953. Ce fut une journée très pluvieuse. Nous avions pris des chambres sur Piccadilly d'où nous disposions d'une vue imprenable sur l'imposante procession qui suivit la cérémonie à Westminster Abbey. Il y avait tout un groupe d'amis avec nous et nous déjeunâmes tous ensemble au Claridge. De l'avis unanime, l'énorme reine du Tonga, impassible dans sa voiture ouverte malgré la pluie qui tombait à verse, avait été la personnalité la plus digne.

Peu de temps après, ce fut le retour des vacances et le moment de retrouver la Gaviota. C'est au mois d'août de cette année-là que nous fîmes la rencontre de Salvador Dalí, en Espagne.

Nous aimions beaucoup séjourner à bord de la Gaviota. On pouvait y accueillir huit personnes, voire neuf, durant les deux mois et demi que nous passions à bord. Nous sommes parfois partis pour Cuba durant l'hiver, mais nous ne faisions alors pas la traversée sur le yacht : nous le retrouvions sur place après quelques heures d'avion.

Je m'occupais de la vie à bord, j'organisais les excursions, veillais aux menus et aux vins. La cuisine n'intéressait guère Arturo. Je m'entretenais avec le capitaine, regardais avec lui les prévisions météorologiques et prenais les décisions qui s'imposaient. C'était un très beau bateau, très confortable, et magnifiquement arrangé par Geffroy. L'équipage était composé de vingt-six personnes, il y avait deux chefs, un maître d'hôtel et deux majordomes.

Nous avions toujours le même cercle d'invités, composé de Clémence – "Clé-Clé" – de Maillé, une grande amie d'Arturo, son amant Jimmy, duc de Cadaval, Lilli Ralli et la princesse Cora Caetani. Parfois, la fille de Daisy Fellowes, la comtesse de Casteja, se joignait à nous avec son mari, Alec. Parfois aussi la baronne Lo Monaco (La Moffa) nous retrouvait, et comme Arturo, elle aimait être descendue dans l'eau depuis le pont de la Gaviota pour se baigner.

La Gaviota.

Arturo descendant
la passerelle de la Gaviota,
Capri, 1954.

154

Clé-Clé était un atout précieux durant ces voyages, elle savait tout et pouvait même en remontrer aux guides dont nous louions les services lors de nos visites de tel ou tel site touristique. Son père avait eu une liaison avec un soldat pendant la Première guerre mondiale et on lui avait laissé le choix de passer en cour martiale ou d'être envoyé au front. Il avait opté pour la seconde et avait été tué. Sa mère était une Rohan-Chabot et Clé-Clé son unique enfant. Clémence avait hérité la maison de sa mère, rive gauche. Elle n'était pas vilaine, et toujours bien mise. Durant la Seconde guerre mondiale, elle avait vécu avec un général allemand dans une maison qui appartenait aux Rothschild, ce qui lui avait valu quelques ennuis à la Libération. Quand on lui demandait pourquoi elle avait agi ainsi, elle répondait qu'enfant, elle avait souvent été invitée par les Rothschild mais que ses parents ne l'ayant jamais laissé y aller, elle avait pensé que c'était un moyen comme un autre de voir enfin à quoi pouvait ressembler la demeure d'un Rothschild.

Elle avait été brièvement mariée au prince Louis de Polignac, le frère de Guy et d'Edmond, l'époux de Ghislaine. Par la suite, elle eut la lubie de m'épouser et prit assez mal mon intimité avec Marie-Hélène.

Perla Mattison était elle aussi une invitée régulière. Née Perla de Lucena, elle était brésilienne et avait été mariée à un industriel français du nom de Barrachin. Elle était ensuite devenue la maîtresse de Graham Mattison, lui-même marié à une femme fort riche qui lui avait donné cinq enfants. Ils avaient fini par se marier. Mattison avait d'abord été avocat dans un cabinet important, White & Case, puis agent de change chez Dominick & Dominick. Il était très écouté et ses conseils recherchés à cette époque. C'était une erreur car il se trompait souvent. C'est lui qui, comme je l'ai dit, devait soutirer beaucoup d'argent à Barbara Hutton.

Tout l'équipage de la Gaviota était britannique, steward compris, à l'exception d'un marin français dont les autres attendaient de lui qu'il connaisse la langue en usage dans chacun des ports où nous abordions, y compris l'arabe ! À chaque escale, nous louions les plus belles voitures et avions recours aux services des meilleurs guides pour profiter des sites touristiques du coin. Nous naviguions toujours de nuit, de manière à mouiller le plus longtemps possible durant la journée.

Une année, la Gaviota mit le cap sur la Jamaïque, nous permettant ainsi de naviguer d'île en île. Une autre fois, ce fut la Sardaigne, le Danemark, la Suède et toutes sortes d'endroits encore…

C'était une vie très reposante : nous nagions, nous prenions le soleil, nous déjeunions et nous nous reposions. Dans l'après-midi, nous prenions le thé, puis venait l'heure des cocktails juste avant le dîner. Nous partions très souvent en excursion, même si cela n'intéressait pas tous les

Le pont et les chambres
de la Gaviota, décorées
par Georges Geffroy.

L'allée des Sphinx,
à Louxor, lors du séjour
organisé par Arturo Lopez
à l'occasion de la vente
des collections de l'ex-roi
Farouk par Nasser, 1954.

Avec Patricia Lopez.

Salvador Dalí,
hôte de la Gaviota, 1953.

Avec Marella Agnelli,
Elsa Maxwell et Arturo.

Stávros Niárchos
et la reine de Grèce,
septembre 1954.

passagers. Une année où nous étions ainsi partis pour l'Égypte, Arturo avait invité une ar-chéologue à se joindre à nous pour descendre le Nil. Elle était furieuse parce qu'aucun de nous n'écoutait ses exposés. En fait, l'une des raisons pour laquelle nous étions allés au Caire était la vente des biens du roi Farouk[1] après son départ en exil pour l'Italie. J'y achetai moi-même quelques babioles.

En août 1953, Dalí monta à bord et nous fûmes alors photographiés tous ensemble. Dans son *Journal*, à la date du 7 août de cette année-là, Dalí écrit : « Aujourd'hui, nous nous sommes tous photographiés déguisés. Arturo en costume persan, portait autour du cou un énorme collier de diamants avec l'emblème de son yacht. Moi, le super-révisionniste, je portai un pantalon turc et une mitre d'archevêque. On m'a remis en cadeau le pantalon en question, ainsi qu'un fauteuil, copie du traîneau de Louis XIV dont le dossier est en carapace de tortue surmonté d'un croissant en or. »

En septembre 1954, la Gaviota nous mena jusqu'au port d'Athènes où étaient amarrés côte à côte le trois-mâts de Niárchos, le Créole, avec ses Renoir et ses Van Gogh, et celui d'Onassis, le Christina. Stávros Niárchos recevait souvent le roi Paul et la reine Frederika de Grèce à dîner, il y avait à l'époque une certaine tension politique dans l'air. Quant à nous, nous avions à bord cette fois-là la fameuse Elsa Maxwell.

---

1 *Le Monde* annonça en décembre 1951 que le gouvernement égyptien songeait à confier à Sotheby's la vente des biens du roi après les lui avoir confisqués. Avec les encouragements discrets du Quai d'Orsay et l'entremise de Maurice Couve de Murville, alors ambassadeur de France au Caire, Maurice Rheims parvint à évincer la célèbre maison de vente britannique.

En août 1956, la Gaviota nous mena cette fois en Irlande, avec les Cabrol, Ghislaine de Polignac (de nouveau en cour) et Chips Channon. Nous visitâmes quelques belles demeures, notamment Russborough, la maison des Beit, ces derniers venant déjeuner à bord tandis que nous mettions pied à terre pour aller dîner chez eux. Russborough est cette fameuse demeure dans laquelle des cambrioleurs s'étaient introduits et avaient ligoté les Beit pour leur dérober leurs magnifiques toiles de maître (parmi lesquelles un Vermeer), toiles qui furent finalement retrouvées et restituées aux propriétaires[1].

Comme toujours, Arturo avait loué une noria de voitures pour nous conduire. Il s'agissait cette fois de Mercedes noires. À chaque fois que nous traversions un village, Arturo était impressionné en voyant que les habitants se rangeaient au bord de la route et levaient leurs chapeaux pour nous saluer. Il trouvait qu'ils faisaient preuve de beaucoup de déférence vis-à-vis de voyageurs étrangers. Il en fit part à Desmond Guinness et ce dernier lui expliqua alors que cette attitude tenait au fait que les autochtones avaient pris notre procession pour un convoi funéraire : ils mettaient chapeau bas comme on le fait pour rendre hommage à un mort !

*
* *

En octobre 1955, Gérard van der Kemp organisa à Versailles une formidable exposition consacrée à Marie-Antoinette. Le livre de Nancy Mitford, *Madame de Pompadour,* avait paru peu de temps auparavant. Il était assez critique pour Marie-Antoinette, aussi Nancy craignait-elle d'être lapidée quand elle sortait de chez elle, tout le monde ayant semble-t-il désormais oublié les mauvais côtés de la souveraine pour ne retenir que sa jeunesse et les meilleurs aspects de son règne.

Arturo était un mécène généreux pour toutes les entreprises que Gérard van der Kemp montait à Versailles, et je m'efforçais de l'être aussi. En 1957, comme les grands travaux de restauration se poursuivaient, Arturo contribua à financer la chambre du roi, offrant la soie pour les tentures. Un seul mètre coûtait trois mille dollars. La Fondation Samuel H. Kress donna cent cinquante mille dollars pour le dessus-de-lit destiné à la chambre de la reine et offrit deux cabinets Louis XVI. Van der Kemp avait la passion des rideaux et des broderies, il estimait qu'elles donnaient à la pièce un supplément d'authenticité. Il espérait qu'avec les nouvelles techniques de nettoyage, elles pourraient durer cinq cents ans. Il n'y avait déjà plus à l'époque que deux manufactures qui sachent encore fabriquer de genre de choses, l'une à Lyon, l'autre à Paris.

---

1 Les Beit, qui avaient l'intention de léguer leur demeure et la collection qu'elle abritait à l'État irlandais, avaient fait savoir dans la presse que les cambrioleurs avaient de fait volé au peuple irlandais un patrimoine qui lui revenait. Comme par enchantement, les toiles furent retrouvées peu de temps après.

C'est également Gérard van der Kemp qui fit restaurer le théâtre de Versailles, construit par Gabriel mais négligé par Louis-Philippe, et par la suite abandonné. Il fut restauré à l'identique, avec toute la palette de bleus possibles, du bleu marine au bleu azur, beaucoup d'or et un rose très pâle pour les colonnes de marbre. Le théâtre, avec ses velours somptueux, ses taffetas et ses moirés, fut prêt pour son inauguration par la reine Elizabeth II lors de son voyage d'État en France, en avril 1957.

La visite de la reine se déroula sous un ciel magnifique. Elle déjeuna dans la galerie des glaces et se rendit ensuite jusqu'au petit théâtre, prenant place dans un fauteuil au centre, à l'endroit exact où aurait pu s'asseoir Louis XIV. Durant tout le temps que dura sa visite, la reine fut habillée par Norman Hartnell. À l'issue du royal séjour, Cecil Beaton put écrire à lady Jebb : « La reine a triomphé du mauvais goût de Norman Hartnell » !

Je pense que la restauration de Versailles a été l'une des entreprises esthétiques les plus achevées qu'il m'ait été donné de voir. Elle a suscité un intérêt immense, non seulement en France où elle a attiré des visiteurs considérables, mais aussi dans le reste du monde. Cela a été quelque chose d'extraordinaire. Enfin Versailles abritait la plus riche collection après le Louvre.

Van der Kemp ne percevait pas pour autant un traitement énorme, mais sa femme, Florence, était assez riche. Ensemble, ils ont su lever des fonds considérables à partir de leur petit cercle d'amis internationaux. Il a su pour cela faire vibrer la corde sensible que Versailles exerce sur chacun. Quand il devait faire face à une menace de grève, ou que son personnel si mal payé se rebellait, il parvenait toujours à les apaiser et à leur faire reprendre le travail en faisant appel à leur sensibilité romanesque pour le château. C'était là une qualité qu'il convient de souligner car un tiers au moins de son personnel était communiste.

Bien sûr, il circulait des anecdotes très drôles. Un jour que le général de Gaulle était venu visiter Versailles, il avait été accueilli par Florence avec tant d'affectation qu'il l'avait interrompu gentiment en lui disant : « Mais madame, c'est mon château ! »

*
* *

Le milieu des années 1950 fut lui aussi favorable aux grands bals, fournissant une occasion rêvée pour s'habiller ou pour faire preuve d'une imagination sans limite. Jacques Fath donna ainsi un bal des Mille et une nuits à Corbeville, et Marie-Laure de Noailles en organisa un autre à son tour.

Le 11 février 1956, elle donna ainsi son bal des Artistes. Il y eut des esprits chagrins pour s'étonner qu'on puisse donner un bal en pleine crise d'Alger, même si la plupart des invités n'étaient en rien concernés. Les autres estimaient que si l'on avait dû attendre que la situation politique fût favorable avant d'organiser une soirée, on n'en aurait jamais donné une seule depuis 1792 !

Le thème incitait à faire la part belle aux peintres et aux écrivains du pays dont on était originaire. Il y eut là encore des costumes merveilleux, ainsi Diana Cooper en lady Blessington, toute de velours rouge, les cheveux arrangés de manière à former un enchevêtrement de boucles dorées. L'épouse de Ian Fleming, Anne, vint en Harriet Wilson, la fameuse courtisane de l'époque de la Régence. Pamela Churchill était déguisée en Titania. Paul-Louis Weiller apparut en François Ier, avec une barbe postiche, tandis que Jean Schlumberger était Jean Calvin.

Au fur et à mesure de leur arrivée, les invités se rangeaient de part et d'autre du grand escalier de la maison de la place des États-Unis, attendant de voir les entrées suivantes. Une fanfare tirée d'Aïda retentissait pour chacune et l'on annonçait alors ce qu'elle représentait. Marie-Laure accueillait ses invités depuis le haut de l'escalier, avait choisi de s'inspirer de la Renaissance pour son travestissement. L'un des invités eut un mot un peu cruel pour qualifier l'effet obtenu, parlant de croisement entre Arcimboldo et Graham Sutherland.

Certaines des invitées portaient des robes si larges qu'il leur fut impossible de passer par l'escalier. À l'étage, on avait tapissé le sol de la salle de bal de cartes à jouer, et chacun fut unanime pour dire qu'il y eut ce soir-là plus à boire et à manger qu'aux bals Beaumont.

Parmi les Français invités à ce bal, certains s'étaient amusés à venir déguisés en ecclésiastiques. S'approchant de quelques jeunes filles particulièrement jolies, ils brandissaient un

En haut : En costume
de Louis II de Bavière,
avec Patricia Lopez,
en reine des cygnes,
accompagnée de sa suite,
lors du bal d'Hiver, donné
au palais des Glaces,
le 7 décembre 1954
par la baronne de Cabrol
au profit de l'Essor.

En bas à gauche :
Jean Marais.

En bas à droite : Elizabeth
Taylor et Richard Burton
au bal Proust.

crucifix et les admonestaient en disant : « Je vois que vous avez beaucoup à vous faire pardonner, mademoiselle ! »

Peu de temps après, je donnai moi-même au Lambert l'un de mes deux plus fameux bals : le bal des Têtes [1]. Les invités étaient priés de venir en s'étant composé une tête spéciale, et quatre juges devaient délibérer pour savoir laquelle avait été la plus extravagante. Ces juges étaient la duchesse de Windsor, Charlie de Beistegui, Elsa Maxwell et moi-même. Nous décernâmes le prix à Jacqueline de Ribes pour sa sublime coiffure à base de plumes.

J'avais besoin de quelqu'un pour m'aider à organiser ce bal. Grâce à Lillia Ralli, je rencontrai un jeune homme qui venait juste de débuter dans la couture comme assistant auprès de Dior. Il s'appelait encore Yves Mathieu Saint-Laurent. J'ai encore quelques croquis de lui faits pour ce bal, qui donnent une idée de son talent précoce. Il dessina une vingtaine de coiffures. La manière sophistiquée avec laquelle il créa toutes ces têtes m'avait profondément impressionné. Son travail était élégant et encore inspiré par Christian Bérard. Il faisait preuve de beaucoup d'imagination : aucun autre n'aurait eu l'idée de placer un cygne avec d'aussi grandes plumes sur la tête d'une dame. Yves assista au bal. Ce fut son intronisation dans le beau monde.

On a dit que j'avais contribué à lancer sa carrière. Ce n'est pas à moi d'en juger mais il est certain qu'il a dû rencontrer ce soir-là quelques-uns de ses futurs mécènes et que cela a pu contribuer à le lancer. La première création de sa maison couture portait le numéro 00001 et fut dessinée pour Patricia Lopez. Son ascension après ce bal fut rien moins que spectaculaire. Il est d'ailleurs intéressant de voir comment les grands couturiers deviennent à la mode à Paris.

Cela ne serait jamais arrivé en Grande-Bretagne, même si à l'époque déjà, il y avait les pop stars puis dans les années 1960, les photographes (surtout à partir du moment où Margaret épousa Tony Armstrong-Jones). Brusquement, ils furent tous propulsés sur le devant de la scène, les David Bailey, les Patrick Lichfield et tous les autres, surtout avec des films comme *Blow Up*. Aujourd'hui, j'ai bien peur que ce soit les grands cuisiniers, mais à Paris, dans les années 1950 et jusqu'à peu encore, c'étaient les grands couturiers. Les plus connus d'entre eux ont bâti d'immenses empires et amassé de gigantesques fortunes.

Yves Saint Laurent est un homme extraordinaire. Il a eu un succès incroyable, il a gagné énormément d'argent, et malgré cela, l'existence lui a procuré peu de plaisir. Il possède de nombreuses maisons mais où qu'il aille, dès qu'il pose le pied dans l'une d'elles, il est aussitôt saisi par l'ennui et la quitte pour une autre. Il a survécu à des moments vraiment difficiles.

---

1 Le bal des Têtes eut lieu au Lambert, le 23 juin 1957.

Il a contribué à la cause des femmes en les libérant et en les mettant toutes en pantalon. Impossible de savoir comment il a réussi pareil exploit. Il se tient coupé du monde, vivant dans une sorte de tour d'ivoire. Comment se fait-il pourtant qu'il ait compris que c'était le bon moment pour proposer aux femmes de se mettre en pantalon, lui qui vit à l'écart de tous? C'est un homme très cultivé et il a un goût très sûr. Grâce à sa fortune, il est à même d'acheter tout ce qu'il veut.

Yves Saint Laurent au bal des Têtes, 23 juin 1957.

Saint Laurent a été inspiré par des grands couturiers pour lesquels j'avais de la sympathie. Jeune homme encore, en mai 1950, il avait vu Louis Jouvet sur scène dans *L'école des femmes*, de Molière, avec des décors de Bérard. Un grand rideau de scène rose, évoquait le Paris du XVIIe siècle, non pas avec une précision tout historique ou des apprêts luxueux mais simplement de manière suggestive, c'était la marque de Bébé. Il avait recréé des places, des jardins, un ciel mauve et toute une palette de couleurs. Cela avait fortement impressionné Yves, qui n'était alors qu'un enfant de 13 ans: il avait mémorisé toutes ces couleurs et chacun des décors. Bérard a vraiment été sa première source d'inspiration.

Il n'est pas inintéressant non plus de savoir que quand il avait envoyé ses premiers dessins à Michel de Brunhoff, alors rédacteur en chef de l'édition française de *Vogue,* celui-ci lui avait conseillé de passer d'abord son baccalauréat, puis de se consacrer au portrait et à la peinture de paysage. Il avait bien sûr immédiatement noté l'influence de Bérard mais il avait aussi rappelé à Yves que Bérard restait surtout connu pour quelques portraits et qu'on avait souvent critiqué ses décors pour le ballet et l'opéra dans les années 1930 et 1940, les trouvant trop classiques, tout comme son travail dans le secteur de la mode, à *Vogue* y compris. Brunhoff lui avait enfin conseillé de consacrer son temps libre à développer un style plus personnel.

Ce fut à n'en pas douter le plus sage des conseils, mais Yves savait déjà à quelles sources puisait son talent et où ses rêves le portaient. Ce qu'il voulait, c'était avant tout recréer ce "glamour mondain" qui l'avait tant séduit quand il avait feuilleté de vieux numéros de *Vogue*. Il était impatient de dessiner à son tour. Le moment venu, Brunhoff le recommanda à Christian Dior, lequel lui proposa de devenir assistant modéliste.

Un an ou deux après mon bal des Têtes, Dior partit faire une cure à Monte Catini. Il était à l'époque sous la coupe d'une espèce de médium et celle-ci lui conseilla de ne pas effectuer ce voyage, voyage qu'il entreprit malgré tout. Il mourut d'une crise le 24 octobre 1957, âgé de 52 ans seulement.

Ainsi se terminaient les dix trop brèves années de carrière du doyen de la haute couture française. De 1947 à 1957, il avait habillé les plus grandes figures de Paris, il avait introduit le "new look" et parfait un héritage qui reste très vivant cinquante ans après. Bien sûr, il s'en était trouvé quelques-uns pour assurer qu'il avait peu à peu perdu son inspiration si personnelle mais durant tout son règne, et même si celui-ci fut relativement court, Dior a écrasé de très loin tous ses rivaux. La moitié de l'argent américain dont la France a bénéficié durant cette période, à travers le secteur de la mode, le doit à Dior.

Les rubriques mortuaires au moment de son décès le créditaient d'avoir permis, avec Marcel Boussac, la résurrection de l'industrie textile française, et d'en avoir fait le troisième secteur le plus prospère de l'économie française. Des milliers d'ouvriers dans le monde ont dû leur niveau de vie à son génie créateur, car c'est grâce à lui que les maisons de couture ont développé le secteur des accessoires et prospéré sur les licences accordées à Paris, Londres, New York et Caracas.

Le jury du bal des Têtes : autour de moi, la duchesse de Windsor, Carlos de Beistegui et Elsa Maxwell.

La presse avait prédit la fin de la maison Dior, mais avant de partir pour cette cure fatale à Monte Catini, Christian Dior avait laissé des consignes à son équipe. La même presse assurait que la mort de Dior ne manquerait pas d'avoir « de graves conséquences pour l'industrie française car elle succédait à toute une série de fermetures de maisons de couture survenues les années précédentes ». C'était oublier Saint Laurent, présent aux funérailles mais restant à l'arrière-plan. Il était destiné à reprendre la maison Dior avec des résultats mémorables. Je suis heureux d'avoir pu jouer un petit rôle dans sa carrière. Il n'avait d'ailleurs guère besoin qu'on l'aide, disons que le peu que j'ai fait ne lui a pas nui non plus.

Yves avait un talent fantastique, mais il est impossible de parler de lui sans évoquer Pierre Bergé. En effet, si Saint Laurent avait le talent, il avait besoin d'une sorte d'impresario et il l'a trouvé en la personne de Bergé.

Pierre Bergé est quelqu'un d'extraordinaire. Son père était fonctionnaire. Jeune homme, Bergé rendit visite à Jean Giono, le célèbre écrivain, qui vivait alors en Provence. Il était très jeune encore, quasiment adolescent, et je crois qu'il a proposé d'aider en cuisine l'épouse de Giono. Il impressionna tellement l'écrivain que celui-ci en fit bientôt son secrétaire particulier. Il devait passer quinze ans là-bas. C'est quelqu'un de très cultivé mais il est malheureusement son pire ennemi.

C'est grâce à lui assurément si le peintre Bernard Buffet a connu la célébrité : il a en effet vécu avec lui pendant plusieurs années, puis Buffet l'a quitté pour se marier. Personnellement, je n'ai jamais eu beaucoup de considération pour le talent de Buffet, j'attribue surtout son succès aux efforts de Bergé. Il est lui aussi un des grands mécènes du XXe siècle. Je pense qu'au fond de lui, il aurait aimé être un artiste.

Après Buffet, Pierre Bergé rencontra Saint Laurent. Même si ce dernier possédait un énorme talent, il lui fallait un pygmalion. Dior mourut en octobre 1957 et en novembre, Saint Laurent prenait la direction artistique de la maison. Il avait 21 ans et devenait ainsi le plus jeune grand couturier du monde. Il convient de noter ici un détail important : il avait été dispensé de service militaire[1]. Sa première collection, en janvier 1958, remporta le prix Neiman-Marcus[2] et,

---

[1] Yves Saint Laurent ne fut pas exempté de service militaire mais souffrit d'une grave dépression à l'issue de cette période qui fut pour lui traumatisante.

[2] Le Neiman-Marcus Award for distinguished service in Fashion est un prix prestigieux créé par l'Américain Stanley Marcus (1905-2002), héritier d'une chaîne de grands magasins vestimentaires créée à Dallas au début du XXe siècle. Il est remis chaque année à un créateur qui a su faire preuve d'originalité. Après guerre, les magasins Neiman-Marcus furent les premiers à proposer un département haute couture aux clientes américaines.

Avec Marcel Boussac.

un mois plus tard, Marie-Louise Bousquet lui faisait à nouveau rencontrer Bergé. Il y eut un creux dans sa carrière, en 1960, quand Dior le fit remplacer par Marc Bohan, il dut alors être hospitalisé pendant quelques semaines pour dépression nerveuse. Mais grâce au soutien que lui apporta Bergé, il put revenir sur le devant de la scène. Ils décidèrent alors de vivre ensemble et, en juillet 1961, il ouvrit sa propre maison de couture rue La Boétie. De ce moment, il perça tel un météore.

Aujourd'hui, à eux deux, Bergé et Saint Laurent possèdent 49 % ou 51 % des parts de l'empire Saint Laurent. Ils habitent rue Bonaparte, partagent une maison à Marrakech, une autre à Tanger, sans oublier la demeure d'une princesse, quelque part en Normandie, qu'ils ont achetée récemment. Toutes les chambres y sont désignées par un prénom, habitude que je n'aime pas beaucoup. Ils ont également un avion privé, un hélicoptère et tout ce qui s'ensuit. Ils ont été en couple pendant de longues années. L'amour a passé désormais mais ils habitent toujours ensemble. Aujourd'hui, c'est Bergé qui fait tout et Saint Laurent, plus rien.

*
* *

En mai 1958, quelque chose d'important se produisit dans l'histoire de la France. Le général de Gaulle revint au pouvoir tandis que la IVᵉ République disparaissait. On avait craint une guerre civile, il y avait eu des émeutes dans les rues de Paris, à cause des évènements à Alger.

Ghislaine de Polignac,
le duc de Windsor,
Elsa Schiaparelli
et la duchesse de Windsor.

Jacqueline de Ribes,
en oiseau de paradis,
et Carlos de Beistegui
au bal des Têtes.

À cause de tout cela, le retour de de Gaulle fut unanimement salué. On venait sans aucun doute de traverser la plus grave crise depuis la fin de la Seconde guerre mondiale.

De Gaulle avait toujours été une figure importante. Il lui fallait désormais compter avec les chefs de vingt-six partis politiques, le parti communiste excepté. À l'Assemblée nationale, il devait d'ailleurs obtenir 400 voix favorables contre les 155 voix des députés communistes hostiles à son retour, il dût cependant donner des gages en échange de son retour. Un an plus tard, en mai 1959, il succédait à la tête de la présidence de la République à René Coty. Il instaura alors une nouvelle constitution et introduisit le suffrage universel pour les futures élections présidentielles. Son arrivée à la tête du pouvoir donna l'impression qu'on avait brusquement ouvert toutes les fenêtres : c'était une grande bouffée d'air frais. Il semblait lui-même aussi rajeuni que les salons de l'Élysée qu'on venait de faire rafraîchir.

Une ère nouvelle commençait. Le général devait se maintenir à la tête de l'État pendant douze ans, une période passionnante pour la France, même si elle ne fut pas exempte de difficultés à l'intérieur comme hors de ses frontières. Sa stature en imposait énormément au pays.

Les dernières années avec Arturo

J'AI TOUJOURS ÉTÉ DOUÉ EN AFFAIRES. J'ai la faculté de comprendre très vite. Le père d'Arturo considérait que tout ce que je touchais se changeait en or. Comme Arturo ne s'intéressait pas beaucoup aux questions financières, je fis en sorte de prendre soin de ses affaires et partant, des miennes. Durant des années, la fortune ne cessa de s'accroître. J'étais attentif aussi à la manière dont il dépensait son argent, je supervisais l'achat de meubles anciens, l'entretien du yacht, et je réglais même l'achat des bijoux et des toilettes de Patricia.

Les gens pensent que seule la vie mondaine ou le monde des arts m'intéressent mais j'ai toujours aimé contrebalancer cet aspect de mon existence en m'impliquant dans la gestion financière et dans les affaires. Cela me permet de rester vigilant dans un monde en perpétuel mouvement et cela m'intéresse vraiment. C'est d'ailleurs essentiel pour mener une vie équilibrée.

En affaires, j'ai souvent été un associé qui se tient en retrait : bien m'en a pris car j'ai toujours eu beaucoup de chance avec ceux dans les affaires desquels j'ai investi. J'ai eu la chance de rencontrer le prince Rupert zu Loewenstein, et peut-être a-t-il eu lui aussi la chance de m'avoir après tout ? Nous avons fait connaissance à Paris chez des relations communes en 1956, mais nous ne sommes vraiment devenus des amis qu'à Saint-Moritz durant l'hiver 1959. Quand il a débuté dans les affaires, Rupert n'avait pas un sou. Sa femme Josephine tirait l'essentiel de ses revenus des terres qu'elle possédait. Il travaillait chez Bache & Co, dans la succursale londonienne d'une maison de change américaine.

Un jour, je compris qu'il pouvait être intéressant de devenir l'actionnaire majoritaire d'une banque d'affaires à Londres. Rupert partageait mon avis et se mit en quête de partenaires. Parmi eux se trouvait Anthony Berry, le plus jeune fils de lord Kemsley. Il était un des représentants du gouvernement dans l'administration Thatcher et devait mourir tragiquement lors de l'attentat terroriste de 1987 à Brighton, attentat qui eu lieu pendant une réunion du parti conservateur. Il y avait aussi Jonathan Guinness, aujourd'hui lord Moyne, et deux autres associés déjà très introduits dans le secteur des affaires à la City. Le projet aboutit en 1963 quand nous prîmes le contrôle de la banque Leopold Joseph & Sons. L'affaire fit son entrée sur le marché boursier de Londres en 1972.

J'en fus d'abord le directeur général puis le vice-président, poste que j'occupai quinze années durant, jusqu'à ma retraite. Quant à Rupert, il quitta la banque en 1981 pour se mettre à son compte.

Depuis la fin des années 1960, Rupert a connu un certain succès comme conseiller financier des Rolling Stones pour lesquels il s'est toujours montré un négociateur zélé en ce qui concerne

Le prince Rupert
zu Loewenstein.

la gestion de leurs droits d'auteur. Il m'a d'ailleurs nommé président de certaines des activités financières des Stones, ce qui m'a occupé pas mal d'années. Cela m'a propulsé dans l'univers de Mick Jagger, de Keith Richards et des autres membres du groupe. J'ai une profonde admiration pour l'énergie qu'ils déploient et je me suis toujours tenu informé des lieux où ils se produisaient et de la manière dont ils organisaient leurs concerts, même si je dois bien avouer que ce genre de musique ne m'attire pas particulièrement. Rupert avait compris combien il pouvait être intéressant de travailler avec eux en relançant leurs tournées, à un moment où ils étaient à même de remplir n'importe quelle salle de concert. Je suis même allé jusqu'à présenter Charlie Watts à mon génial bottier, Mr Cleverley ! Il a été enchanté de lui fabriquer une paire de ses remarquables souliers.

Nous avons connu un tas d'aventures grâce aux Rolling Stones. J'ai ainsi accompagné Rupert à Singapour, Taïwan, Hong Kong et jusqu'au Japon pendant une tournée en 1972. Rupert prétend que Marie-Hélène de Rothschild, toujours réticente à l'idée de me voir quitter Paris, lui aurait dit un jour qu'ayant été victime d'une indigestion après avoir consommé des huîtres, je ne pouvais l'accompagner. Sans se démonter, Rupert lui demanda : « Comment, un empoisonnement alimentaire ? Chez vous ? »

À Hong Kong, le consul général du Japon nous recommanda un restaurant en prévision de notre séjour à Tokyo. Aussitôt là-bas, nous demandâmes s'il était possible de s'y rendre pour dîner. On nous opposa alors une incroyable résistance : tout avait été manifestement arrangé pour nous à l'avance, durant la tournée, et il nous fallut insister longuement pour faire comprendre que nous tenions vraiment à avoir une soirée libre afin de parler affaires entre nous. On nous assura d'abord que le restaurant était fermé le jour que nous avions choisi : nous choisîmes alors un autre jour. On nous répondit cette fois que la famille du restaurateur était en deuil. Grâce à notre détermination, nous finîmes par obtenir gain de cause, mais en entrant dans le restaurant en question, il y eut tout un remue-ménage : on nous conduisit vers un salon particulier où une geisha nous fut proposée. La soirée fut très agréable et quand vint le moment d'acquitter l'addition, on nous réclama mille dollars. C'était une somme certes mais c'était prévisible, et nous réglâmes sans faire d'histoire.

Revenant au Japon une fois suivante, nous ne pûmes nous empêcher de demander aux organisateurs de la tournée pourquoi ils avaient fait tant d'histoire avant de nous laisser aller dans le restaurant en question. C'est alors qu'on nous apprit que l'endroit était hors de prix, et que de leur côté ils avaient dû débourser neuf mille dollars pour nous !

Une autre fois, à Taïwan, nous avions décidé de visiter les trésors du patrimoine. Là encore, on nous escorta et on nous présenta un conservateur de musée assez âgé dont le titre de gloire avait été de publier les deux cent soixante-seize livres de la bibliothèque de l'empereur Cheng

Lun. Non sans fierté, il nous en avait montré l'édition italienne, édition qui nous était bien connue car Michael Tree en possédait un exemplaire dans sa bibliothèque. En revanche, nous n'eûmes pas l'autorisation de visiter le musée lui-même : en effet, à Taïwan, il est de coutume de ne voir qu'une chose par visite, sous peine d'avoir l'esprit perturbé. Il nous fallut donc revenir la queue basse et attendre un prochain séjour.

Rupert et moi sommes toujours associés dans différentes sociétés et nous continuons de nous parler chaque jour au téléphone. Je suis le parrain de sa fille Dora. Rupert, cela n'étonnera personne, est un membre important de l'ordre de Malte, il y préside la branche anglaise du pèlerinage à Lourdes. Je n'y suis pour ma part jamais allé, on me dit que l'endroit est d'une laideur atroce. Je ne sais pas trop ce que Rupert y fait, je ne me l'imagine pas aidant les malades aux piscines. Je suis cependant certain que même s'il se contente d'indiquer la marche à suivre aux pèlerins depuis sa chambre d'hôtel, il n'arrête pas de la journée.

Je dois également évoquer une autre aventure professionnelle. Comme j'ai tout de même quelques connaissances dans le domaine de l'art et sur le marché de l'art lui-même, j'ai été l'un des co-fondateurs d'Artemis, un fonds d'investissement qui repère, achète, restaure, expose, puis revend des œuvres d'art. Ce fonds a longtemps été présidé par mon ami le baron Léon Lambert. Nous nous sommes spécialisés dans la peinture, le dessin, la gravure et la sculpture, la tapisserie, le mobilier, la joaillerie et les manuscrits, couvrant ainsi toutes les formes d'art. Certains des plus grands musées du monde sont parmi nos clients. Artemis est coté à la bourse de Bruxelles depuis 1979. Je me suis toujours beaucoup impliqué dans ce fonds, depuis sa création jusqu'au décès de Léon Lambert en 1987. Aujourd'hui encore, je suis constamment l'évolution des marchés financiers en lisant le *Financial Times* et le *Wall Street Journal*.

*
* *

J'ai toujours aimé les casinos : dès le premier jour cela m'a fasciné. J'aime surtout la roulette à vrai dire. Aujourd'hui pourtant je ne joue plus. J'ai arrêté de jouer quand j'ai vu un homme perdre des sommes considérables. Sa femme était venue nous supplier d'interrompre la partie. Quand nous lui avions demandé pourquoi, elle nous avait répondu que son mari avait à peine de quoi se payer un billet de train pour rentrer à Paris : il avait vraiment tout perdu ! J'ai pensé alors : le plaisir qu'on ressent à jouer ne vaut pas la peine qu'on éprouve en voyant quelqu'un perdre. C'était un terrible spectacle : pauvre femme. J'ai alors définitivement cessé de jouer.

En janvier 1960, j'avais été invité à une soirée chez les Derval à Paris. Paul Derval était le directeur des Folies Bergère où l'on montait alors des spectacles incroyables. L'endroit fut très populaire pendant des années, en partie grâce à Derval qui, à cette époque déjà, n'y engageait pourtant plus les vedettes qui avaient fait sa réputation et les avait remplacées par des danseuses nues. Derval a écrit un livre sur ce lieu mythique, se vantant d'y dire « la vérité, mais la vérité nue, cela va sans dire ». Bien sûr, à la grande époque, on y voyait Mistinguett, Maurice Chevalier, Joséphine Baker et Fernandel. Au début des années 1960, la star du lieu, c'était désormais Yvonne Ménard, qui s'y produisait seins nus.

Cette soirée des Derval fut un moment incroyable. On l'appela la fête des Rois. En vue de l'évènement, les Derval avaient dépensé une fortune pour acquérir un mobilier qui ne leur fut livré que quelques jours auparavant. Le duc et la duchesse de Windsor en étaient les invités d'honneur, Cecil Beaton était également convié. Il y eut quelques moments inoubliables, l'un d'eux notamment quand le duc de Windsor se mit à souffler aux narines d'un chat qui passait une bouffée de la fumée de son cigare, asphyxiant presque la pauvre bête. Il y eut aussi un moment assez pénible quand on plaça sur la tête des Windsor des couronnes en sucre filé, une occasion que n'aurait pas manqué de prendre en photo un reporter peu scrupuleux s'il s'était trouvé là. La duchesse eut à ce moment un regard furieux puis finit par se raviser, prenant alors son plus beau sourire avant de proclamer : « Ô combien lourde, la tête sur laquelle repose une couronne ».

Quelques années plus tard, j'ai eu une algarade avec Mᵐᵉ Derval : « Il me revient que vous dites des choses désagréables sur moi, je croyais que nous étions bons amis » m'avait-elle écrit, de manière plutôt inattendue. Ce à quoi j'avais répondu : « J'ai bien reçu votre lettre, et je suis très surpris de l'accusation qu'elle contient. Je puis vous assurer que je n'ai ni parlé de vous ni même pensé à vous ces cinq dernières années. Je vous suggère de prêter moins d'attention aux commérages des langues de vipère qui vous entourent ».

Il n'y avait pas de raison pour que le mode de vie qui était le mien à l'époque ne se prolonge pas quelques années encore. J'étais heureux au Lambert, Arturo y était très souvent avec moi, et Patricia de son côté restait à Neuilly. Nous continuions de voyager à Saint-Moritz et à Venise, effectuant de nombreuses croisières à bord de la Gaviota.

Je m'aperçois que je n'ai guère parlé de Saint-Moritz. Nous nous y rendions pourtant chaque année en janvier, résidant au Palace Hotel où nous réservions toujours la même suite. Nous y passions six semaines. Arturo laissait là-bas son mobilier, qui y était remisé et qu'on réinstallait dans notre suite à notre retour. J'aimais beaucoup skier mais on pouvait également faire du patin. Malheureusement, les autres membres de notre petit cercle n'étaient guère sportifs.

À Saint-Moritz, on croisait souvent Jean Cocteau, invité de Francine Weisweiller, qui passait là toute la saison d'hiver. Francine était une fort jolie femme, très riche et très gâtée par la vie, pas très intéressante en soi et formant un couple étrange avec son mari. Elle fut pendant des années, avant de se lasser, le mécène de Jean Cocteau qui se comportait avec elle comme le fait le héros du film *L'homme qui vint dîner*[1] : après avoir accepté une invitation de Francine à séjourner quelques jours dans sa villa du Cap Ferrat, il s'y était en effet incrusté pendant presque douze ans.

Au sein de l'étonnant couple Weisweiller, il fit venir Édouard Dermit, son petit ami (plutôt taiseux d'ailleurs), ou plus exactement son "fils adoptif" comme il disait lui-même. Il avait ramassé ce dernier quelque part dans Paris et l'avait d'abord employé comme jardinier à Milly, avant qu'il ne finisse par entrer dans la maison. Le duo fut bientôt rejoint par Émilienne, la sœur de Dermit. Comme l'a écrit John Richardson, cette petite équipe « se retrouvait tous les étés, chacun étant soudé aux autres par une admiration mutuelle, une sorte de narcissisme collectif qui agissait sur eux comme l'opium ». Je me souviens encore très bien du genre de rumeurs qui bruissait sur la villa du sud de la France.

Tout cela tenait aux difficultés financières dans lesquelles Cocteau s'était retrouvé après avoir adapté au cinéma *Les enfants terribles,* en 1949. Son réalisateur, Jean-Pierre Melville,

---

1 *The Man who came to dinner*, film américain de William Knightley avec Bette Davis (1942).

avait eu l'idée de chercher une femme suffisamment riche pour les aider, et c'est ainsi que Francine Weisweiller était entrée en scène. Une grande partie du film fut d'ailleurs tournée à son domicile parisien, au 4 de la place des États-Unis. En mai 1950, elle eut l'idée d'inviter Jean Cocteau à venir passer quelques jours à Santo Sospir, une villa située tout près du phare de Saint-Jean-Cap-Ferrat, qui lui appartenait et n'avait d'ailleurs rien d'original.

Cocteau s'y installa, se délecta de la vue qu'on avait sur la Méditerranée depuis les jardins suspendus et fleuris d'hibiscus. Il prit goût aux promenades de l'après-midi à bord du yacht des Weisweiller, l'Orphée II. La Bentley avec chauffeur fut bientôt laissée à sa disposition et les croisières en Grèce, en Espagne ou les séjours à Saint-Moritz achevèrent de faire ses délices.

C'est durant ce séjour chez Francine que Cocteau proposa de décorer le mur du salon, tout autour de la cheminée, avec cette technique du dessin au trait qui lui est propre. Une fois qu'il eut commencé, il ne s'arrêta plus et deux ans plus tard, tous les murs de la villa étaient couverts de motifs de poissons, de symboles phalliques, d'yeux et d'arabesques. Francine semblait émerveillée de voir son salon ainsi transformé en aquarium…

Elsa Maxwell et Sady von Opel à Saint-Moritz.

Francine Weisweiller et Jean Cocteau à Venise.

Francine Weisweiller était née en 1916. Elle était la fille d'Armand Worms, d'une famille juive de Lorraine qui avait émigré à Sao Paulo où elle avait ouvert une boutique de joaillerie. La fortune venait du grand-père maternel, un Deutsch de la Meurthe, famille qui a contribué au développement de l'automobile et de l'aéronautique, à laquelle on doit aussi les premières pompes à essence installées en France. Francine avait un temps gagné sa vie comme esthéti-cienne chez Elizabeth Arden. Puis, quand la guerre avait éclaté, elle avait décidé de soigner les soldats blessés à l'Hôtel-Dieu. Parmi eux se trouvait notamment Guy de Rothschild. Tandis que ses parents avaient battu en retraite à Sao Paulo, elle tomba éperdument amoureuse d'Alec Weisweiller : un banquier, propriétaire d'une écurie de course, dont la fortune venait de la compa-gnie pétrolière Shell. Sous l'Occupation, ils passèrent tous deux en zone libre et se réfugièrent sur la Côte d'Azur. Ils se marièrent en juin 1941 et elle devint alors l'héritière de sa fortune.

À la fin des années 1940, la famille emménagea 4, place des États-Unis (l'hôtel Deutsch de la Meurthe), voisinant ainsi avec Marie-Laure de Noailles et la duchesse de la Rochefoucauld. L'existence de Francine était parfaitement réglée quand Cocteau fit irruption dans sa vie. Comme elle avait très envie de devenir l'une des reines de Paris, cette rencontre lui en ouvrit la voie. Francine était quelqu'un de très seul, elle fut trop heureuse de mettre sa fortune au service d'une sorte de "génie à demeure". Ils devinrent alors inséparables.

Le couple Weisweiller vivait selon un arrangement qui convenait à chacun. Alec, le mari, passait l'essentiel de son temps à Paris avec sa maîtresse, l'actrice Simone Simon (la vedette de *La féline* et de *La ronde*). Il apparaissait rarement dans le sud de la France. Et quand la famille était réunie à Paris, Alec présidait chaque dîner, se montrant toujours plein d'égards pour Cocteau. Il se montrait seulement jaloux du rôle que ce dernier jouait dans la vie de sa fille, Carole, l'adolescente voyant dans le poète une sorte de père de substitution.

L'élection de Cocteau à l'Académie française fournit à Francine une occasion extraordinaire. Cocteau avait mené une campagne très active, soutenu par Francine qui l'avait aidé autant qu'elle le pouvait. Elle avait reçu les académiciens de manière somptueuse, toujours à ses frais. En 1955, Cocteau fut solennellement reçu sous la coupole et Mauriac l'accueillit par un portrait acerbe dans le Figaro littéraire : « Il n'a pas même trébuché devant notre assemblée étonnée. Il avait gardé l'œil fixé sur la porte pendant un certain moment, guettant quelque craquement qui pouvait annoncer qu'elle allait s'ouvrir, afin de pouvoir se glisser aussitôt à l'intérieur ».

Pour la cérémonie de réception, Cocteau avait commandé son costume d'académicien chez Lanvin, il souhaitait naturellement une épée. Francine la fit forger chez Cartier et Picasso dessina un profil grec pour en orner la garde. On avait également reproduit sur l'épée le Palais-Royal et gravé la propre signature de Cocteau. Douze mille personnes firent la queue devant l'Institut dans l'espoir d'occuper l'un des sept cents sièges et de pouvoir ainsi entendre son discours de réception.

Toutes les femmes qui comptaient dans la capitale furent invitées, on les vit toutes prendre rendez-vous chez Alexandre de Paris, afin de se faire coiffer tout exprès. Cocteau lui-même semblait sortir de chez le fameux coiffeur, ayant pour l'occasion fait teindre et permanenter ses mèches, d'ordinaire argentées.

Avec Arturo
et Jean Cocteau.

Sous la coupole, il prononça un discours de réception plutôt provoquant, qui fut écouté et suscita, à des degrés divers, des grimaces parmi les sommités littéraires, parmi les journalistes et jusqu'à la reine des Belges elle-même, toutes personnalités qu'il avait invitées.

L'improbable couple Weisweiller semblait taillé pour durer indéfiniment, mais la santé de Francine se dégrada brusquement après un accès de bronchite survenu à Kitzbühel, en 1957. Au fil des années, comme l'a écrit sa fille Carole, elle devait porter sa maladie comme une "seconde peau". Quand elle eut 45 ans, elle commença à se lasser de son invité de génie et s'éprit d'un play-boy vieillissant du nom de Henri Viard, l'auteur d'histoires policières sans intérêt. Il était « plus macho et moins envahissant » comme l'a dit John Richardson.

Ce fut alors la guerre. Des querelles et des altercations succédèrent à l'amitié conjugale qui avait précédé. Il y avait en permanence une certaine tension dans l'air, et Cocteau finit par faire ses bagages, s'installant pour de bon dans sa maison de Milly-la-Forêt. Francine garda ses distances jusqu'à la veille de la mort du poète. Mais quand elle se rendit à son chevet, Cocteau l'accueillit de la manière qui suit : « Tu apportes la mort avec toi ! »

C'est ce qu'elle fit en effet : le 11 octobre 1963, alors qu'Edith Piaf venait de mourir, Cocteau avait improvisé un hommage à la radio. Peu de temps après, alors qu'il s'apprêtait à prononcer un nouvel éloge de la chanteuse décédée, il contracta la pneumonie qui devait l'emporter. Francine se rendit à ses funérailles.

Ses dernières années furent assez tristes : la fortune des Weisweiller avait fondu comme neige au soleil ainsi que l'a écrit Carole. On vendit la maison de Paris et ses collections. Éloignée de son mari, Francine mena désormais une vie retirée dans sa villa Santo Sospir. La villa demeurait silencieuse, le téléphone ne sonnait plus, et la grande table du hall d'entrée restait vide de toute correspondance. Tout ce qui restait désormais, c'était les fresques de Cocteau. Francine est morte le 8 décembre 2003.

*
* *

Un jour à Saint-Moritz, dans les années 1950, après m'avoir invité à passer les voir à leur hôtel, des amis américains, Mr et Mrs Mortimer, me tinrent le discours suivant : « Nous allons donner un dîner prochainement et nous sommes dans l'obligation d'inviter un Grec parce qu'il est très riche et qu'il offre des remontées mécaniques à la station de Saint-Moritz ». Le Grec en question, c'était Stávros Niárchos, avec sa femme Eugénie ! Une autre fois, cette même Mrs Mortimer donna un dîner qu'on fit servir dans deux salles différentes. Cela tourna au désastre : Mrs Mortimer avait commis l'erreur de faire asseoir tous ses invités d'honneur dans une seule des deux pièces, ce qui les mécontenta tous. Aucune des deux salles à manger ne pouvait voir

À la sortie du Corviglia Club à Saint-Moritz.

ce qui se passait dans l'autre. L'un des invités fit courir la rumeur qu'on servait du caviar dans la première pièce et qu'on n'y avait pas droit dans la seconde. Philippe de Rothschild, assis dans la seconde pièce, était livide. Il écrivit le lendemain une lettre furieuse !

Au matin suivant, Mrs Mortimer me passa un coup de fil, elle était au bord des larmes et me dit : « Je n'y comprends rien. Je pensais offrir un dîner pour permettre à mes amis de faire connaissance et voilà que ce matin je reçois des lettres d'injures et des appels téléphoniques parce que chacun d'eux pense qu'on n'a pas servi la même chose dans les deux salles à manger ». Elle aurait dû en effet mélanger les convives les uns aux autres afin qu'ils puissent s'assurer qu'il n'y avait eu aucune différence de traitement. De tels écueils guettent souvent les maîtresses de maison !

Cette phase de ma vie touchait cependant à sa fin. Je ne m'étais pas inquiété pour Arturo bien que sa santé fût mise à mal par son penchant pour l'alcool, et ce alors même qu'il ne vi-

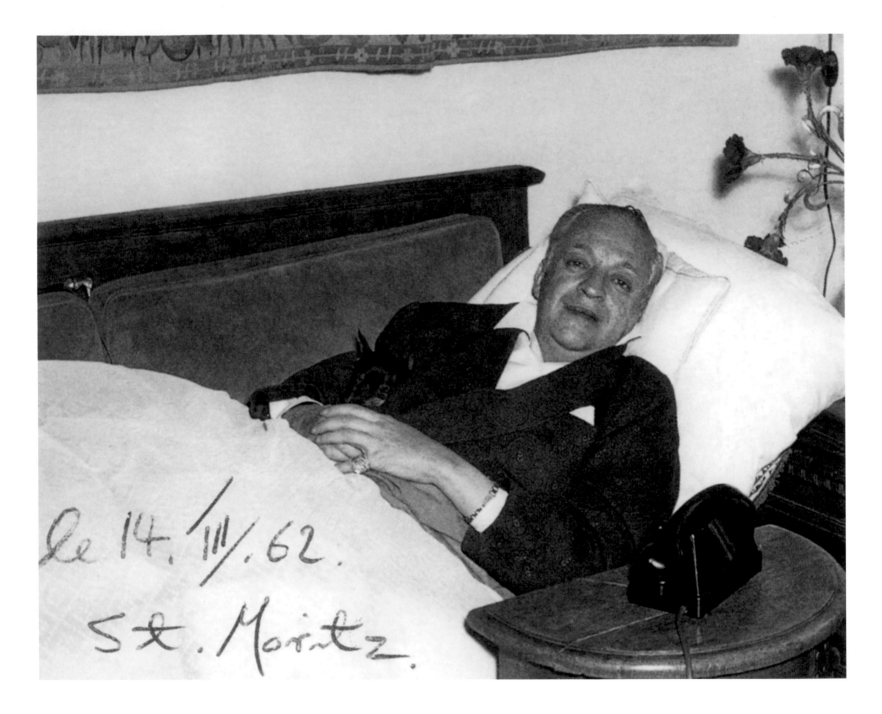

le 14./III/.62.
St. Moritz.

vait pas une vie particulièrement stressante. J'avais en revanche quelques inquiétudes pour ses affaires, car elles n'allaient plus si bien que cela. En regardant froidement ce qu'était advenu de sa situation financière, certains ont prétendu que sa mort était venue au bon moment.

Dans les premières semaines de 1962, alors que nous étions encore à Saint-Moritz, nos amis George et Elizabeth Chavchavadze périrent tous les deux dans un accident de voiture sur une route verglacée. Ce fut un choc immense, pour nous comme pour tous leurs amis.

Nous quittâmes Saint-Moritz et Arturo rentra avec moi au Lambert. C'était le 17 mars 1962, il avait pris une coupe de champagne et fut soudain terrassé par une attaque. Il n'avait pas encore 62 ans. Sa mort fut un choc pour Patricia et pour ses amis les plus chers. « Si gentil et si riche Arturo Lopez » note Ned Rorem dans son *Journal parisien*, cependant que Cocteau lui aussi déplorait sa mort auprès de Louise de Vilmorin. Arturo fut enterré au Père-Lachaise, là où se trouve le caveau familial dessiné par Rodocanachi.

Arturo, trois jours avant sa mort, en mars 1962.

J'ai dit plus haut que je n'étais pas amoureux d'Arturo mais qu'une sorte d'amitié amoureuse nous liait l'un à l'autre. Cela étonne parfois mes amis quand je leur dis qu'il est très difficile d'éprouver de l'amour pour quelqu'un quand on dépend de lui financièrement. Ils ont coutume de répondre que ma théorie va à l'encontre de l'institution du mariage dans lequel, si chacun des conjoints doit assistance à l'autre, il revient généralement au mari de contribuer financièrement pour les deux. Je pense que j'ai tout de même raison sur un point : le terme romance s'accorde mal avec la notion de dépendance financière...

Je serai éternellement reconnaissant à Arturo pour tout ce qu'il a fait pour moi, et j'espère sincèrement l'avoir payé de retour en me montrant un ami fidèle, en prenant soin de ses affaires financières, en réglant pour lui tous les problèmes d'intendance, et dans un sens en lui rendant la vie plus facile et plus agréable qu'avant notre rencontre. Je ne sais pas si j'ai permis à Arturo de mettre de l'ordre dans sa vie, mais j'y ai certainement contribué. Peut-être ai-je été pour lui une sorte de garde-fou car il a indéniablement mené avec moi une vie plus rangée qu'avant de me connaître. C'est moi qui, par exemple, lui ai conseillé de prendre une suite au Grand Hôtel de Venise, lors de notre séjour annuel, de manière à pouvoir mieux profiter de la ville qu'en restant à bord de la Gaviota. Dans ses jeunes années, avant-guerre, il avait été très libre, menant une vie désordonnée et usant de stupéfiants et d'alcool en quantité importante. Il sortait danser tous les soirs. Du jour où il me connut, il ne prit plus de drogues même s'il continuait de boire, ce qui le conduisait parfois à chercher querelle même à ses amis.

Il me manque beaucoup. Il possédait de nombreuses qualités : il était brillant, astucieux et spirituel. Il cernait instantanément la personnalité des autres, leurs qualités comme leurs défauts. Son instinct ne le trompait jamais en la matière et rien ne lui échappait.

Arturo légua pour moitié ses collections à Patricia et à moi. Les conséquences entraînées par son décès et la nécessité de mettre de l'ordre dans ses affaires m'ont occupé pendant des années, j'ai été longtemps une âme en peine.

Si mes relations avec Patricia avaient toujours été difficiles du vivant d'Arturo, elles devinrent beaucoup plus fluides après sa mort. Curieusement, elle prit l'habitude de me demander conseil et d'écouter mes avis, et c'est à partir de ce moment-là qu'est née une grande amitié entre nous, une amitié qui se poursuit encore aujourd'hui. Patricia, qui avait fait le bonheur de tant de grands couturiers, qui avait toujours été habillée avec la plus grande élégance, renonça brusquement à cette vie et prit ses dispositions pour mener une vie plus simple. Aujourd'hui, elle a même quitté Paris pour Lausanne, Kitzbühel et le sud de la France où elle a acheté une villa, près de Saint-Tropez. Patricia ne souhaitait pas rester dans la maison de Neuilly. Comme nous avions obtenu un permis de construire sur le terrain, la maison avec sa piscine fut vendue à la ville de Neuilly qui la transforma en musée, installant des automates à l'étage et une section

Peter
Wilson
~
Rainier
et Grace
de
Monaco

dévolue à l'histoire des femmes au sous-sol. Cela semblait convenir parfaitement à la mairie et, de notre côté, nous nous fîmes pas mal d'argent en lotissant l'espace qui avait entouré l'hôtel particulier à l'origine. D'une certaine façon, il est un peu triste, aujourd'hui, de voir cette grande maison entourée d'immeubles depuis lesquels les appartements ont une vue plongeante mais d'un autre côté, tout cela appartient au passé.

Petit à petit, la vie d'Arturo s'effaçait. Je ne retournai plus skier à Saint-Moritz. Je conservai la Gaviota un moment mais s'il est parfois difficile pour une hôtesse de réussir un dîner, il est plus difficile encore d'assortir les invités le temps d'une croisière. Au bout d'un moment, cela devint même un problème insurmontable. Aussi, en 1964, après une rapide conversation alors que nous étions à la plage, je vendis le yacht à Robert de Balkany. Les temps des maillots de bain signés Louis Vuitton étaient passés. J'ai quand même conservé certains meubles et les ai rapportés ici, au Lambert. La Gaviota était tout de même mieux meublée que bien des grandes maisons…

La question qui se posa tout d'abord, fut de savoir quoi faire des somptueuses collections d'Arturo. Je décidai de garder quelques objets et Patricia fit de même. Quelques années plus tard, je vendis avec l'aide de Guy de Rothschild, la majorité de la collection à Monaco, chez Sotheby's pour qui ce fut la première vente de ce genre[1]. Christie's et Sotheby's à cette époque n'avaient pas le droit d'organiser des ventes aux enchères sur la place de Paris, c'est pourquoi ces deux maisons prirent l'habitude d'organiser des vacations à Monaco, où elles eurent un grand succès, jusqu'à ce que le monopole des commissaires-priseurs français soit aboli. Je faisais alors partie du directoire de Sotheby's[2]. La vente fut un évènement considérable car Arturo avait constitué sa collection avec un talent inimitable pour acheter les beaux objets, aussi sa collection avait-elle une valeur exceptionnelle.

Cette fameuse vente incluait aussi quelques pièces provenant de Ferrières dont Guy n'avait plus l'utilité même si, aujourd'hui encore, on parle de Ferrières. Il y eut une soirée organisée pour la circonstance, avec le prince Rainier et la princesse Grace.

Dans le *Journal* de Paul Morand, à la date de février 1975, on peut lire : « Lacretelle dit […] que le baron de Redé est ruiné ! » Je ne sais pas sur quoi il se fondait mais je suppose qu'à cause de la vente, on s'est imaginé à l'époque que j'avais besoin d'argent. J'étais pourtant indépendant financièrement, et même assez bien pourvu. Je venais de liquider la succession d'Arturo. J'étais toujours au Lambert et je me demandais ce que je pourrais faire désormais.

---

1 Cette vente, qui intervint en 1975, consacra en effet la présence de Sotheby's en France.

2 C'est à la fin des années 1980 qu'Alexis de Redé devait en fait rejoindre le conseil consultatif de Sotheby's France qui venait tout juste d'être créé.

Interlude

À TOUT MOMENT, MARIE-HÉLÈNE DE ROTHSCHILD est amenée à se glisser dans mon histoire. Mais avant qu'elle ne le fasse, je dois parler aussi de quelques amies qui, elles aussi, ont contribué à rendre ma vie intéressante.

J'ai toujours pensé qu'un livre sur Gloria Guinness, Etti Plesch et Rosemarie Kanzler serait passionnant. Pour moi qui ai tant aimé la lecture du livre de Lesley Blanch, *The Wilder Shores of Love,* ces trois femmes ont été, chacune à leur manière, des héroïnes de roman. Un ouvrage sur Gloria, Etti et Rosemarie pourrait aisément fournir l'intrigue d'un second volume de *The Wilder Shores of Love…*

Il serait dommage que l'existence de ces trois femmes ne reste consignée que dans la rubrique "style" de magazines people. Elles ont accompli le rêve que font bien des jeunes filles, et pas simplement en portant de jolis souliers. Elles étaient portées par une véritable ambition, elles s'étaient imposé une ligne de conduite et elles ont eu le courage de prendre des risques énormes pour s'élever à des sommets inégalés. Une fois ce but atteint, elles se sont entièrement consacrées à leur nouvelle vie, prodiguant à leurs maris toute l'attention qu'ils étaient en droit d'attendre d'elles tout en veillant sur eux jalousement. Si Gloria, Etti et Rosemarie ont incontestablement réussi, je suis certain qu'il y a des tas d'autres jolies femmes qui ont tenté leur chance sans y parvenir, finissant leur vie noyées dans d'insondables difficultés conjugales, voire même dans la pauvreté la plus abjecte.

Gloria Guinness

J'aimais beaucoup Gloria Guinness. Nous étions très bons amis. J'ai souvent séjourné chez elle et chez Loel, son mari, en Floride, à Mexico et en Normandie tout près de chez Guy de Rothschild. Je jouais au golf là-bas. Gloria était amusante, élégante et pleine de vie. Elle possédait une maison extraordinaire à Acapulco, qui était sa réussite à part entière. D'une certaine façon, Gloria était géniale même si elle n'était pas toujours très tendre. Elle a eu une vie difficile mais c'est la vie qu'elle s'était choisie. C'est d'ailleurs pour cela que l'équilibre est souvent assez difficile à trouver selon moi : quand on préfère la sécurité, on n'a rarement une vie amusante. Loel lui a sans doute procuré une existence qui n'était pas vraiment celle à laquelle elle aspirait.

Gloria adorait les casinos, elle pouvait y passer toute la nuit. Loel était tout le contraire : ce qu'il aimait, c'était passer à table à vingt heures trente chaque soir. Dès elle l'eut épousé, c'en fut fini des casinos, du jeu et des nuits prolongées jusqu'à l'aube. Elle avait tout ce qu'elle pouvait

Etti Plesch.

souhaiter et aussi beaucoup d'argent à dépenser mais je pense qu'au fond d'elle-même, elle était assez triste et qu'elle aurait volontiers tout plaqué pour mener une autre existence.

Sa première vie avait été bien différente. Elle venait d'une famille de Mexico, pauvre mais respectable. Son père s'appelait Raphaël Rubio. Gloria était une femme magnifique : sa beauté lui avait permis d'échapper à l'avenir assez terne auquel elle était promise. J'ignore comment elle fit son chemin de Mexico jusqu'en Allemagne, mais on la vit apparaître aux côtés du docteur Alfred Horstmann, ancien ambassadeur à Bruxelles et à Lisbonne, grand collectionneur établi à l'époque à Berlin. Son histoire était assez triste et plutôt étrange, comme l'a magnifiquement contée sa femme, Lally Horstmann, dans le livre *Nothing for tears*. Tous deux étaient très riches. Il appartenait à une famille qui tirait sa fortune du célèbre quotidien allemand *Frankfurter General-Anzeiger*. Lally était la fille du diplomate Paul von Schwabach, d'une famille de banquiers pour partie juive. Freddy Horstmann aimait montrer à ses invités, après le dîner, sa très belle collection de porcelaines de Meissen.

Quand la Seconde guerre mondiale éclata, il dut quitter la diplomatie et fut considéré comme suspect. Il était réticent à quitter l'Allemagne à cause de ses fabuleuses collections. Sa femme et lui s'établirent alors à Kerzendorf, une propriété située à une vingtaine de kilomètres à l'est de Berlin. Une nuit, au printemps 1946, la Stasi débarqua et emmena Freddy pour lui faire subir un interrogatoire. Sa femme ne devait jamais plus le revoir. Elle apprit deux ans plus tard qu'il était mort d'une pneumonie dans un camp de détention, quelque part en Union soviétique. Le livre qu'elle a écrit a connu un grand succès. Elle est morte au Brésil, en 1954, dans des circonstances restées assez mystérieuses.

Lally et Gloria étaient très amies. C'est par l'intermédiaire des Horstmann que Gloria rencontra, puis épousa, Egon von Fürstenberg, qui devait par la suite devenir le père de Dolores. Pendant la guerre, elle passa de longs moments en Espagne, on a même prétendu qu'elle avait été une espionne au service de l'Allemagne. Tout comme Etti, elle passait son temps dans les casinos du sud de la France parce qu'elle savait qu'elle pourrait rencontrer là-bas des hommes riches. Après le baron von Fürstenberg, elle jeta son dévolu sur Ahmed Fakhry, qu'elle épousa en Égypte. Il était petit et pas très élégant. Ils emménagèrent à Paris, résidant au Crillon. C'est là que je la rencontrai. À cette époque, elle était également la maîtresse de Duff Cooper.

À un moment de sa vie, deux hommes furent sur le point de l'épouser en même temps : l'un était lord Beatty, l'autre Loel Guinness. La pauvre Gloria n'arrivait pas à faire son choix. Finalement elle se décida en faveur de Loel et ils se marièrent en 1951.

Gloria avait une fille particulièrement belle, Dolores. Elle était adorable et avait une allure incroyable. Elle se maria en 1955 avec le fils que Loel avait eu précédemment de Joan Yarde-Buller : Patrick. Ils eurent un fils et deux filles. Patrick se tua dans un accident de voiture en 1965. Dolores tomba alors follement amoureuse de Karim Ali Khan (lui-même né du précédent mariage de Joan avec Ali Khan) et elle l'épousa. Aujourd'hui elle vit en Suisse, et je ne pense pas qu'elle ait beaucoup de contacts avec ses enfants. Sa plus jeune fille a épousé Philip Niárchos.

Les dernières années de Gloria furent assez tristes. En 1980, elle se persuada que Loel avait une maîtresse, ce qui, pour moi, était faux. Elle fit une overdose de médicaments et en mourut. Je ne pense pas qu'elle ait réellement voulu se donner la mort, ce n'était sans doute qu'un appel au secours. Toujours est-il qu'elle en est morte. On la retrouva dans sa baignoire. Loel et elle sont morts à Lausanne, et j'ai assisté aux obsèques de l'un et de l'autre.

Gloria était infiniment élégante, très drôle et toujours merveilleusement habillée…

ETTI PLESCH

Etti Plesch n'avait jamais été une beauté. Elle était aussi totalement dénuée de scrupules. Rosemarie Kanzler et elle étaient très liées bien qu'en réalité elles ne s'appréciaient guère : l'une et l'autre se connaissaient sans doute trop bien…

Etti pouvait se montrer charmante et odieuse à la fois. Elle avait un côté très sombre. Jusqu'à la maladie qui devait l'emporter, elle avait toujours fait preuve d'un caractère énergique et savait se montrer très drôle. Elle avait le même appétit pour la vie que pour la bonne chère. Partageant sa vie entre Monte-Carlo, Paris, Londres, Baden-Baden et New York, où elle possédait des appartements, elle voyageait sans cesse, au gré de ses humeurs, descendant à l'hôtel du Cap d'Antibes l'été et visitant la Jamaïque, ou tout autre endroit qui lui chantait, l'hiver.

Son fait de gloire était d'avoir remporté deux fois le Derby, en 1961 et 1980 : elle reste la seule femme à avoir réussi cet exploit. Elle a mené une existence incroyablement romanesque puisqu'à l'âge de 42 ans elle avait déjà collectionné six maris et perdu cinq d'entre eux !

Née à Vienne en 1914, elle avait d'abord été une enfant à la santé fragile puis était tombée amoureuse d'un cousin dont la famille avait estimé qu'elle n'était pas assez bien pour lui. Je crois que c'était là le moteur de sa vie : avoir connu jeune des amours contrariées. À défaut de pouvoir être heureuse, elle s'était résolue à être riche. Il se passa un certain temps avant qu'elle y parvienne.

Elle entrait dans chacun de ses mariages pleine de bonnes résolutions, et tel un caméléon elle adoptait à chaque fois le style et les idées du mari du moment. À l'exception du dernier, tous ses mariages furent voués à l'échec mais à chaque fois, elle semblait en sortir indemne.

Etti me dit un jour : « J'aime l'idée de vivre pour quelqu'un, on apprend beaucoup ainsi. Je pense qu'une femme devrait toujours vivre mariée ».

En plus de ses six mariages, il y eut aussi quelques fiançailles. Elle avait rencontré son premier mari quand Marjorie Oelrichs l'avait emmené avec elle aux États-Unis. Il s'appelait Clendenin Ryan et il était catholique. Il appartenait à la célèbre famille des Ryan qui a fait fortune dans le chemin de fer, le charbon, le tabac et l'assurance, ainsi que dans l'exploitation du diamant au Congo belge. Il avait à sa disposition un trust de cent quarante millions de dollars ! Hélas, les Ryan se persuadèrent vite qu'Etti n'était rien d'autre qu'une croqueuse de diamant, le mariage tomba à l'eau au bout de trois mois et Etti dut reprendre le bateau pour l'Europe. Elle fit alors la connaissance du comte Pali Pálffy, un Hongrois beaucoup plus âgé qu'elle, qui avait beaucoup d'allure et qui aimait la vie. Pálffy devait se marier huit fois, Etti fut sa quatrième épouse. Ils passaient la plus grande partie de leur temps à chasser. Pálffy était un fameux nemrod, l'un des meilleurs fusils d'Europe, et il aurait volontiers consacré toute sa vie à la chasse. Il n'aimait rien tant qu'entendre le brame du cerf et il était capable pour cela de se lever à quatre heures du matin !

Ce deuxième mariage d'Etti fut réduit en miettes par Louise de Vilmorin, femme fatale s'il en fut. Etti épousa alors un autre aristocrate hongrois, le comte Thomas Esterházy, avec lequel elle eut une fille : Bunny. Mais là encore, Louise de Vilmorin, sans aller jusqu'à épouser Esterházy, pulvérisa ce mariage[1]. C'est à cette époque, comme la guerre prenait fin, qu'eut lieu cette affreuse histoire : après avoir été jeté en prison, Esterházy vint frapper à la porte de Louise. Jetant alors un regard sur ses guenilles, elle aurait eu simplement ce commentaire : « Un Esterházy n'est pas exportable » !

Les deux mariages suivants d'Etti furent brefs : au comte autrichien Zsiga Berchtold, fils de Léopold Berchtold, ministre des affaires étrangères austro-hongroises en 1914, succéda bientôt un M. Deering Davis de Chicago. Celui-ci avait d'abord épousé Louise Brooks, la star du muet. Il s'installa avec Etti à Seattle mais elle le quitta bientôt. Elle avait coutume de parler de lui comme d'un « arrangement provisoire » et bien des années plus tard, elle confessait n'avoir conservé que fort peu de souvenirs de lui.

Etti connut ensuite une période sud-américaine, avant de rencontrer Árpád Plesch qui, par bien des aspects, devait se révéler le milliardaire dont elle avait toujours rêvé ! Ils s'étaient rencontrés par l'intermédiaire du secrétaire de ce dernier, à qui Plesch avait un jour demandé :

---

1 Dans *Haute curiosité,* Maurice Rheims évoque « l'éclat des yeux aimables et avides de Louise de Vilmorin ».

« Connaîtriez-vous une jolie femme avec qui je pourrais voyager ? » Le secrétaire fit les présentations et, peu de temps après, en 1954, tous deux se marièrent. Etti ne fut pas très élégante en privant par la suite le secrétaire particulier de son emploi…

Si la vie conjugale de Gloria et l'existence de sa fille semblaient assez embrouillées, ce n'était rien comparé au ménage Plesch ! Lui avait débuté dans la vie comme secrétaire d'un certain M. Ulam dont l'épouse avait été la maîtresse de Béla Kun, espion à la solde de Lénine qui devait devenir en 1919 le dictateur bolchevique de la Hongrie avant de disparaître avec une bonne partie des réserves d'or du pays. À la mort de M. Ulam, Árpád Plesch épousa la veuve. Il y avait dans l'histoire une jeune demoiselle Ulam qui se trouva bientôt être enceinte. Plesch arrangea les choses en proposant à un certain Harcourt Smith de l'épouser, le temps de donner une parenté légitime à l'enfant, une petite Flockie, qui ne tarda pas à naître. Finalement, quand Mme Ulam mère mourut, Plesch épousa la fille. Il devenait ainsi le beau-père et le grand-père de Flockie. Certains se demandèrent même aussi s'il n'en était pas le père. Quelques années plus tard, il fut un temps l'amant de l'infortunée reine Alexandra de Yougoslavie.

Quand Plesch épousa Etti, ils se coulèrent dans une vie conjugale confortable, leur énorme Rolls-Royce verte stationnant devant le Claridge à la fin de chaque semaine. Ils commencèrent par pénétrer le monde des courses avec un certain succès puis furent acceptés partout. Plesch avait fait fortune dans le sucre à Haïti. Sans doute ne s'en était-il pas arrêté là car il avait semble-t-il beaucoup d'argent.

Par ce mariage, Etti devint subitement une femme très riche. Rien ne leur plaisait davantage que les courses, surtout quand en 1961 leur cheval Psidium remporta le derby d'Epsom (à 66 contre 1). Ils gagnèrent également le prix du Jockey Club, le prix de l'Arc de triomphe, le prix Robert Papin, le prix de Morny et le prix Vermeille. En 1973, ils ne possédaient pas moins de soixante pouliches reproductrices, mais le meilleur investissement d'Etti fut sans conteste son cheval Discorea, acheté 450 guinées, qui remporta l'Irish Oaks.

Árpád Plesch mourut en 1974 mais Etti gagna une fois encore le Derby avec le cheval Henbit, en 1980. Toutefois, sa victoire la plus éclatante fut sans conteste le prix de l'Arc de triomphe, en 1970, quand son cheval Sassafras parvint à battre le jockey Lester Piggott monté, lui, sur Nijinsky. Ce cheval, qui appartenait à Charles Engelhardt, avait déjà remporté onze épreuves classiques de suite cette saison-là, il semblait assuré d'en gagner une douzième. Cette victoire d'Etti se révéla dramatique : Engelhardt se retira au Ritz, ruiné, noyant son chagrin en buvant des canettes de Coca-Cola les unes après les autres. Il mourut quelques semaines plus tard. Etti vécut quant à elle jusqu'en avril 2003.

Rosemarie Kanzler n'avait aucun antécédent familial. Tous les étés, je passais quelques jours avec elle au château de Saint-Jean-Cap-Ferrat. La propriété était magnifiquement située et Rosemarie y recevait fort bien. Le seul inconvénient de ces séjours, c'est qu'on devait assister à d'ennuyeux dîners dans les alentours, et tous les hôtes de Rosemarie devaient être présents. C'était encore pire quand le prince Rainier et la princesse Grace étaient présents car on avait l'impression qu'ils ne partiraient jamais. Non seulement on ne savait jamais trop quoi leur dire mais en plus il était impossible de partir avant eux.

J'étais à l'époque très lié au mari de Rosemarie, Ernie Kanzler, un bel homme, sympathique et follement épris de son épouse. Il se fichait complètement de savoir si elle avait des amants, ce dont elle ne se privait pas. Elle ne s'en cachait pas non plus.

Toutes ces femmes pouvaient se montrer impitoyables pour parvenir à leurs fins. Rosemarie était venue au monde en janvier 1915 sous le nom de Leni Ravalli. Son père était un maçon italien, catholique. Elle était employée comme manucure à Zurich quand un jour, un riche client entra et lui présenta une bague magnifique en lui disant : « N'est-il pas dommage que vous ne puissiez, vous aussi, posséder un bijou comme celui-là ? »

L'ambition enflamma alors son cœur de jeune fille, et grâce au sexe, à l'amour, à des voyages à l'étranger et à de multiples mariages (dont certains devaient se conclure par des morts tragiques), Rosemarie Kanzler put enfin acquérir tous les biens matériels qu'elle avait toujours désirés.

Elle finit par fuir la Suisse et partit pour Berlin en 1936 où elle parvint à gagner sa vie grâce à une fort jolie voix. C'était l'époque des Jeux Olympiques et avec son ami, le compositeur Peter Kreuder, elle se trouva bientôt propulsée parmi l'élite nazie. Kreuder voulait en faire la nouvelle Marlène Dietrich avec laquelle elle partageait une certaine ressemblance, et même si les choses n'allèrent pas comme ils l'auraient souhaité tous les deux, il n'en reste pas moins qu'elle chanta bel et bien devant Hitler.

Rosemarie sut au bon moment mettre le cap sur Cuba, où elle se retrouva tout à fait dans son élément dans cette société constituée de riches étrangers fuyant la guerre, d'ambassadeurs et de play-boys sud-américains. Le calme des nuits y fut plus d'une fois troublé par quelques coups de feu, auxquels elle n'était pas toujours étrangère. Elle partit par la suite pour Mexico.

En 1944, elle devint la troisième épouse du producteur de cinéma Manuel Reachi, celui-là même qui avait découvert Rudolph Valentino quelques années plus tôt. Puis, à quelque temps de là, elle tomba amoureuse du beau-frère de Barbara Hutton, le prince Youka Troubetzkoy, mais elle choisit finalement d'épouser celui qui devint ainsi son deuxième mari, un Mexicain du nom de Carlos Oriani, véritable magnat qui s'était taillé un empire dans l'immobilier. Hélas, il sombra bientôt dans la démence et on le retrouva un beau jour errant en sous-vêtements. Le divorce fut prononcé en 1954.

En décembre de cette même année, elle se mariait à nouveau, épousant cette fois Fred Weicker, le richissime héritier des produits chimiques Squibb. Il mourut quatre mois après ce mariage, mais pas sans avoir eu le temps de signer les documents qui faisaient de Rosemarie une veuve richissime. Le jour des obsèques, Rosemarie remarqua une énorme gerbe de fleurs, hommage de l'ancien garçon d'honneur de Weicker : Ernest Kanzler, ancien directeur général des automobiles Ford, qui plus tard fut à l'origine de la création de l'Universal Credit Corporation. Ernie Kanzler était un homme qui aimait en toute chose remporter le morceau : il offrit à Rosemarie une bague ornée d'un énorme diamant de Golconde et lui tint ce langage : « Je me considère comme fiancé avec vous, le jour où vous éprouverez la même chose pour moi, faites-moi le plaisir de porter cette bague pour moi ! »

C'était une demande en mariage un peu prématurée mais Ernie n'avait pas envie de voir Rosemarie tomber dans les bras d'un autre. Quelques semaines après qu'il lui ait cette offre, Rosemarie accepta de dîner avec Ernie au Pavillon, le fameux restaurant new-yorkais. D'un geste un peu théâtral, elle retira ses gants, laissant alors apparaître une main aux doigts de laquelle brillait l'énorme diamant. À partir de ce soir-là, c'est Ernie qui paya l'addition. Ils convolèrent en 1955 : Rosemarie avait eu trois maris en un an !

Elle fit rapidement déménager Ernie de Détroit vers le sud de la France, au Cap-Ferrat où elle avait acheté une maison magnifique. Elle fit appel à Stéphane Boudin[1] pour la décorer et il transforma la villa en un palais. En 1967, Ernie eut une attaque à Saint-Moritz et tomba alors gravement malade. Rosemarie trouva bientôt à se plaindre de l'infirmière allemande, l'accusant même d'avoir une liaison avec son mari. Dès le lendemain, l'infirmière était mise à la porte. En réalité, Ernie n'avait jamais eu la moindre liaison, et il était peu probable qu'il s'engage sur cette voie dans l'état qui était le sien. Il mourut quelques mois plus tard cette année-là.

Désormais une veuve très riche, Rosemarie envoya paître les services du fisc américain et partit s'installer à l'hôtel de Paris, le temps de régler la succession. Elle se mit ensuite à collectionner les maisons un peu partout dans le monde, mais plus particulièrement en Grèce et en Argentine.

Il est étonnant de voir comment ces femmes qui ne se sont souvent mariées que pour l'argent font parfois, sur le tard, de curieux choix en matière de maris. C'est comme si, enfin

---

1 Décorateur de la maison Jansen à Paris.

riches, elles devenaient à leur tour des proies toutes désignées. Ce n'est que justice sans doute, à moins que ce ne soit tout simplement la loi de la jungle. C'est ainsi qu'en 1971, Rosemarie épousa Jean-Pierre Marcie-Rivière, un jeune banquier dont la précédente épouse s'était suicidée. Elle lui donna un million de dollars afin de ménager sa susceptibilité masculine. Cela n'empêcha pas le mariage de se briser quand il la quitta pour une femme qui avait pourtant le même âge qu'elle.

En octobre 2000, Rosemarie publia des mémoires dont les exemplaires furent réservés à ses seuls intimes. Peu de temps après, elle partit pour la Favorita, le domaine qu'elle possédait en Argentine. Un jour qu'elle s'était rendue au bord de sa piscine pour sa baignade quotidienne, ne portant qu'un chapeau contre le soleil et des gants pour protéger ses mains du chlore, son maître d'hôtel la retrouva gisant au fond de l'eau, complètement nue. Elle avait 85 ans.

* *
*

D'autres amies ont eu un destin bien différent. Si Doris Duke a finalement trouvé une tête bien faite et des épaules solides sur lesquelles se reposer, certaines ont eu des ennuis, se sont suicidées ou même ont été assassinées. Dès qu'il y a de l'argent en jeu, ces choses-là ne sont pas rares : là où il y a un mobile, il y a danger.

Elizhina Moreira Salles était la très belle épouse de Walter Moreira Salles, un banquier de Rio de Janeiro qui avait été ambassadeur à Washington et était très apprécié dans la jet set. Tous deux formaient un couple attachant. Elle était aussi jolie que charmante, il était non seulement beau mais c'était également l'homme le plus sympathique qui soit, il était vraiment charmant. Leur fils est devenu le plus important producteur de cinéma du Brésil, il a connu plusieurs succès à Hollywood. On parle souvent de lui dans les médias. Elizhina se tenait toujours au courant de tout, voulant être dans le coup. Ainsi se rapprocha-t-elle d'Andy Warhol et du petit monde de la Factory, ce qui était probablement une erreur. Malheureusement, son mariage avec Walter se brisa quand il la quitta pour épouser une femme plus jeune qu'elle. Il fit en sorte que son ex-femme ne manque de rien. Et pourtant, elle se persuada bientôt qu'elle était ruinée, qu'elle ne possédait plus rien, et développa une véritable obsession vis-à-vis l'argent. Son cas était extraordinaire : penser qu'on est ruinée quand on vous a donné cinquante millions de dollars ! Elle en était réduite à chercher les billets d'avion les plus économiques dès qu'il lui fallait se rendre quelque part. Un jour, après avoir enfilé une tenue de saut en parachute, elle se précipita par la fenêtre, effectuant là une chute mortelle. Son fils lui a rendu hommage en lui dédiant le premier film qu'il a produit.

La duchesse de Windsor, au bal Proust.

Personne n'aurait pu croire que la duchesse de Windsor finirait sa vie en étant l'objet d'autant de rumeurs et de spéculations. Je l'aimais beaucoup. Plutôt laide à l'origine, elle avait réussi à devenir assez glamour au fil des années, et sa transformation progressive avait été étonnante. Je dînais souvent chez les Windsor et eux venaient régulièrement au Lambert.

Les dernières années de la duchesse furent très tristes. Après la mort du duc, survenue en 1972, elle tomba aux mains de son avocat, Mᵉ Suzanne Blum, qui n'autorisa plus que ses amis à venir la voir. Dans le même temps, des objets qui lui avaient appartenu firent surface sur le marché. On aurait dû la laisser mourir en 1975 : elle était à l'époque tombée gravement malade à cause d'un méchant ulcère, bien qu'elle ne mangeât pratiquement rien, et elle avait paru à tous sur le point de mourir. À l'hôpital où on la soignait, on fit tout pour la retaper mais c'est bel et bien une épave qu'on renvoya chez elle. Elle mourut en 1986 alors qu'elle approchait des 90 ans.

J'assistai à ses funérailles dans la chapelle de Saint-George. Ce fut une cérémonie magnifiquement organisée, et curieusement, ce fut aussi le jour où lui fut enfin accordée la reconnaissance que le duc avait tant désirée pour elle. Le service fut simple et le chœur chanta admirablement. La reine et la plupart des membres de la famille royale lui rendirent alors un dernier hommage.

J'aimais aussi beaucoup Mona Bismarck, même si je n'avais pas les mêmes goûts qu'elle. J'ai toujours pensé que sa maison de Paris dégageait quelque chose d'assez froid, même si elle possédait de jolies choses. En revanche, elle avait un goût magnifique en matière de jardins, et celui qu'elle possédait à Capri était tout simplement une merveille. Mona Bismarck était belle, avec de beaux yeux verts que Salvador Dalí a bien rendus dans le portrait qu'il a fait d'elle.

La fin de sa vie fut assez étrange. À la mort de Harrison Williams, elle avait épousé Eddy von Bismarck en qui Arturo ne voyait qu'un gigolo. Quand ce dernier mourut à son tour, elle se remaria au docteur Martini qui n'était qu'un vulgaire escroc. Il lui soutira des sommes considérables, soi-disant pour construire un hôpital, mais en réalité pour entretenir sa maîtresse ainsi qu'elle finit par le découvrir.

Un jour de 1979, comme il conduisait son Alfa Romeo, non loin de Naples, il perdit le contrôle de sa voiture. Il fut projeté par-dessus la falaise et blessé mortellement. Sa mésaventure fut l'occasion d'une plaisanterie un peu macabre parmi ses proches qui, inévitablement, le surnommèrent alors "Martini on the Rocks". Mona vécut quant à elle jusqu'en 1983 et laissa la plus grande partie de son argent au Smithsonian Institute.

Louise de Vilmorin.

Louise de Vilmorin n'était pas, elle non plus, ce qu'on pourrait appeler une victime. On a vu comment elle s'était comportée avec les deux maris d'Etti Plesch. Elle avait l'habitude de séjourner chez les van Zuylen, dans le château qu'ils possédaient aux Pays-Bas, chaque année en septembre. Elle y était accompagnée d'André Malraux, je les ai souvent vus là-bas. Malraux passait pour un homme supérieurement intelligent. Je dois avouer que je n'ai jamais compris un seul mot de ce qu'il racontait.

Louise appartenait à une famille très unie, elle adorait ses frères. Etti avait l'habitude de dire qu'il s'agissait là d'une relation incestueuse mais pour moi qui ai bien connu Louise, je peux certifier que c'est totalement faux.

Louise n'était pas particulièrement gentille, elle pouvait aussi parfois faire des choses totalement stupides. Elle était ainsi dans les meilleurs termes avec un couple de mes amis, Karl Hans et Minka Strauss, l'oncle et la tante de David de Rothschild. Minka étant en effet la sœur de la première épouse de David. Louise allait souvent prendre un verre chez eux, dans leur appartement de la place Vendôme. À l'une de ces occasions, elle eut cette phrase malheureuse :

— Je ne comprends pas comment il se fait que les Allemands n'aient pas réussi à tuer tous les juifs ?

Les Strauss étaient juifs. Ils lui dirent alors :

— Vous voyez cette porte ? Prenez-la et ne revenez plus jamais !

C'était complètement idiot de sa part d'avoir dit ça.

Marie-Hélène de Rothschild

Marie-Hélène de Rothschild fit irruption dans ma vie un beau jour de 1964, et rien ne fut jamais plus comme avant.

Personne n'aimait autant la vie que Marie-Hélène. Elle était un mélange étonnant de détermination et de sensibilité. On le devinait rien qu'à ses yeux. Avec elle, c'était noir ou blanc, il n'y avait pas d'intermédiaire.

J'avais connu sa mère, Maggie van Zuylen, à New York durant la guerre. Elle était avec son mari, Egmont, et la maîtresse de celui-ci, Leonora Corbett, connue surtout pour le rôle qu'elle avait tenu dans *Blithe Spirit*. Tous faisaient partie de ce groupe de réfugiés qui incluait Fulco di Verdura, Niki de Günzburg et Nathalie Paley, cette dernière étant alors mariée au producteur de théâtre Jack Wilson. Marie-Hélène était elle aussi à New York, mais je ne la connaissais pas encore à l'époque. Elle était pourtant assez proche d'Arturo.

Maggie van Zuylen était une femme très intelligente mais assez peu cultivée. Elle était également très drôle et avait pour amis Chanel, Maria Callas et Georges Pompidou. Elle aimait à la folie jouer aux cartes. Je me souviens qu'un jour après avoir pris congé d'amis chez qui nous séjournions à Beaulieu, nous avions pris le train de nuit pour Paris et nous étions toujours en train de jouer quand le train arriva à Paris au petit matin.

Elle entretenait avec sa fille une terrible relation d'amour-haine. Toutes les deux passaient leur temps à se disputer. Marie-Hélène était l'aînée de trois enfants. Son père, Egmont van Zuylen, d'origine hollandaise, avait été diplomate pour le roi des Belges. Dans une première vie, il avait également été fiancé à une princesse mais avait rompu après avoir rencontré la belle Nametella à la faveur d'une affectation au Caire.

Egmont était très distingué, très grand et très étrange aussi. Il lui arrivait parfois d'oublier où il était et de se mettre à improviser un swing comme s'il s'était trouvé au golf alors qu'il était au beau milieu d'un salon voire même en train d'assister à des obsèques dans une église. Les van Zuylen possédaient en Hollande une grande demeure de style gothique, bâtie sur le site d'un château en ruine qui leur appartenait déjà auparavant. Il y avait même un pont-levis, des douves et une herse !

Une amitié se noue toujours à un moment bien précis, et en ce qui me concerne, avec Marie-Hélène ce fut bien plus tard : en 1964. Sa mère m'avait invité pour le week-end à Biarritz, à

l'hôtel du Palais. C'est là véritablement qu'a débuté une amitié qui devait durer jusqu'à sa mort, trente-deux ans plus tard.

Marie-Hélène était née à New York le 27 novembre 1927, on l'avait prénommée Marie-Hélène Nalla Stéphanie Josina. Teddy van Zuylen était son plus jeune frère même si, au fil des années, Marie-Hélène changea son âge, ayant décidé qu'elle était en fait sa cadette. Il s'est marié trois fois mais vit seul aujourd'hui. Il y avait une autre sœur également, mais elle mourut encore jeune. Enfant, Marie-Hélène était toujours habillée de manière exquise. Jacqueline de Ribes, qui se souvient avoir fait du patin avec elle, se rappelle aussi la façon dont elle était vêtue alors, portant une magnifique tenue de velours bleu, bordé de fourrure.

Marie-Hélène avait épousé en premières noces le comte François de Nicolaÿ avec qui elle menait une existence tranquille, en province, s'adonnant aux activités propres à la vie à la campagne. Elle s'habillait alors de manière très conventionnelle, en veste et chandail assortis, avec juste un collier de perles. Nicolaÿ était un homme charmant. Ensuite, en 1957, elle épousa Guy de Rothschild et devint alors une tout autre personne. C'est à ce moment-là que l'hôtesse qui sommeillait en elle émergea dans toute sa majesté.

Difficile de savoir par où commencer pour décrire Marie-Hélène de Rothschild. Je sais qu'on la surnommait la "reine de Paris". Son brillant suscitait l'admiration et la crainte dans les cercles qui l'entouraient. Pour moi, elle s'est montré la plus loyale et la plus merveilleuse des amis, mais pour d'autres elle a pu faire preuve d'une vengeance sans pitié. Nous partagions les mêmes centres d'intérêt, nous aimions créer autour de nous une atmosphère excitante pour nos amis, disposant des objets à cette seule fin, arrangeant une pièce exactement comme nous le souhaitions. Nous aimions projeter de donner des soirées, et durant tout le temps qu'a duré notre amitié, trois d'entre elles ont été tout simplement extraordinaires : mon bal Oriental et ses bals Proust et Surréaliste, à Ferrières.

Elle était déjà malade quand je l'ai rencontrée, mais elle le cachait parfaitement grâce à un optimisme à toute épreuve. Sa maladie a été présente durant toute sa vie, l'obligeant à se lever à des heures indues. Elle sortait rarement déjeuner, étant trop souffrante. Elle risquait de s'évanouir et d'avoir besoin qu'on la raccompagne chez elle. Cela arrivait souvent quand je déjeunais avec elle au restaurant, et les serveurs en pareil cas pouvaient être pris au dépourvu même si j'avais la situation bien en main. Je leur disais qu'il s'agissait de la baronne de Rothschild, que c'était là des choses qui arrivent parfois, qu'elle-même ne s'en inquiétait pas.

Avec la baronne van Zuylen, mère de Marie-Hélène.

205

À l'époque où Marie-Hélène faisait construire sa maison de Marrakech, on nous avait un jour conseillé de nous rendre au marché avant midi. C'était un peu tôt pour elle, aussi s'y rendit-elle en portant une veste sur sa chemise de nuit. Une fois dans une boutique, il commença à faire chaud. Elle retira alors la veste, oubliant qu'elle n'avait rien d'autre en dessous que sa chemise de nuit !

Marie-Hélène est arrivée dans ma vie comme un tourbillon, comblant le vide qu'y avait laissé la mort d'Arturo deux ans plus tôt : soudain mon existence était de nouveau remplie. J'étais prêt pour de nouvelles expériences et nous avons vécu des aventures merveilleuses. Je savais que j'étais capable une seconde fois d'être pour elle cette sorte d'animateur que j'avais été pour Arturo. Les gens comme Marie-Hélène n'ont guère besoin d'être encouragés mais ils ont en revanche parfois d'un complice, et je suis heureux de l'avoir été pour elle.

Quand Marie-Hélène voulait quelque chose, il fallait absolument qu'elle l'obtienne, et elle était déterminée à l'avoir ! Elle demanda un jour à Marc Bohan un échantillon d'un tissu qui lui restait d'une robe qu'il avait dessinée plusieurs saisons auparavant, afin de garnir un chapeau. Eh bien, non contente d'attendre qu'il lui fasse porter ce tissu, elle me demanda de l'accompagner chez Dior et je me vis bientôt occupé à tenir une échelle pendant qu'elle cherchait parmi les coupons, perchée tout en haut de l'échelle, à la consternation du personnel. Elle savait également se montrer très généreuse, offrant à son personnel des cadeaux de Noël achetés chez Van Cleef & Arpels.

Yves Saint Laurent s'est toujours occupé d'elle personnellement. Elle est la seule cliente pour laquelle il ait fait cela. Elle avait la taille très étroite. Pour le bal Proust, Marie-Hélène avait sans hésiter demandé à Yves de lui dessiner un corsage spécialement conçu pour mettre en valeur les perles qu'elle avait l'intention de porter. Elle avait l'habitude de travailler avec ses couturiers. Christian Lacroix la surnommait affectueusement son assistante parce qu'elle savait exactement ce qu'elle voulait et qu'elle faisait toujours en sorte que les dessins recoupent exactement le projet qu'elle avait en tête.

La joaillerie était son autre passion. Elle en possédait une collection fantastique. Je l'instruisais et la conseillais en la matière. Je lui ai donné un jour un bijou que j'avais caché dans une belle-de-jour. Elle avait été ravie en recevant la plante mais le fut plus encore quand elle découvrit la pierre qui se cachait dans la fleur.

J'admire énormément son mari, Guy, et celui-ci m'a toujours semblé heureux de me voir jouer les chevaliers servants aux côtés de son épouse. J'allais régulièrement à Ferrières, et plus

Marie-Hélène
de Rothschild,
au bal Proust.

tard à La Rûcherie, le petit chalet que le couple avait bâti dans le parc. Je passais Noël avec eux et les accompagnais à Marrakech, où ils avaient une maison, ainsi qu'à Saint-Moritz.

Ensemble, nous aimions le mobilier, l'argenterie, la porcelaine et plus encore les bibelots. Marie-Hélène aimait aussi beaucoup les antiquités. Tous les deux, nous parcourions les catalogues de ventes. Nous admirions les concerts, l'opéra et le ballet. J'ai donné de nombreux concerts au Lambert, et Marie-Hélène a organisé de son côté plusieurs galas, comme l'exigeait son rôle de présidente des amis de l'Opéra-Comique.

Nous ne partagions en revanche pas le même goût pour les décorateurs. Marie-Hélène avait recours aux services d'hommes tels que Renzo Mongiardino, Geoffrey Bennison, Henri Samuel et François Catroux.

Mais je parle de Marie-Hélène et je réalise soudain qu'elle n'est pas très connue du grand public. Seul un petit groupe, très sélect, la connaît. Elle a dominé la société parisienne mais elle ne suscitait pas la curiosité des journalistes. Elle était pleine de ressources et pourtant elle ne s'est jamais cherché un métier et n'a pas jugé bon non plus de publier de livre.

Yves Saint Laurent et Marie-Hélène de Rothschild.

Rudolf Noureev et Marie-Hélène.

Elle avait ses goûts et ses dégoûts, les et les autres étaient très tranchés. Très tranquillement, elle décidait qui serait admis dans le cercle et qui n'en était pas digne. Paris est un tout petit monde, très soudé, et quand Marie-Hélène avait décidé que vous étiez "*out*", alors c'en était fini. On raconte parfois qu'elle murmurait ses instructions à quelques amies de confiance, mais de tous ces confidents, c'est moi qui ai été le plus proche.

Elle se comportait de manière assez inhabituelle. Un jour, elle alla jusqu'à gifler quelqu'un au Fouquet's. Une autre fois, alors qu'elle avait donné un bal pour sa nièce Vanessa, celle-ci perdit un bijou : Marie-Hélène écrivit aussitôt à tous les invités en leur demandant qu'on le lui restitue. Elle écrivit même aux invités de sang royal.

Il y eut aussi cette affreuse soirée de mars 1989 : elle avait prévu d'organiser une petite fête après la première de *La belle au bois dormant,* avec Noureev et le ballet de Paris, mais le corps de ballet se mit finalement en grève. Furieuse, Marie-Hélène ordonna par conséquent au traiteur de servir le dîner de la manière la plus rapide qui soit. Dans le petit monde de la société parisienne, de petits incidents de ce genre pouvaient d'un seul coup devenir de véritables scandales.

Marie-Hélène aimait ceux qui maniaient l'ironie et qui avaient du panache. Elle n'était pas conventionnelle et savait au contraire se montrer spontanée et curieuse. Le monde était pour elle comme un film de cinéma dont nous regardions, nous, les scènes se succéder les unes aux autres.

Le plus extraordinaire dans cette amitié, c'est que les Rothschild aient pu acheter l'hôtel Lambert. En 1975, alors que nous déjeunions ensemble, je racontai à Marie-Hélène que les Czartoryski essayaient de me faire quitter l'appartement que j'y occupais. « Je ne vois pas pourquoi on ne l'achèterait pas ? » me répondit-elle, comme nous en étions au fromage. Et à peine l'idée lui était-elle venue qu'elle passa un coup de fil à Guy, à la banque.

— Te sens-tu encore assez jeune et assez romantique pour changer le cours de ta vie en l'espace de deux heures ? lui demanda-t-elle.

— Pourquoi pas, répondit Guy un peu nerveusement.

Et c'est ainsi qu'ils achetèrent le Lambert et vendirent leur hôtel de la rue de Courcelles. Marie-Hélène était enchantée que je puisse rester dans mon appartement. Elle fit également en sorte de réunir sous le même toit les différents trésors que les Rothschild possédaient. On fit rapporter meubles et tableaux de Ferrières, y compris *L'astrologue* de Vermeer. Quand on eut retiré toute la poussière, Guy s'exclama qu'après vingt-cinq ans de mariage avec Marie-Hélène il avait tout simplement oublié jusqu'à l'existence du gris !

Guy n'oubliera jamais ce fameux après-midi. L'affaire était compliquée, elle était onéreuse mais elle en valait la peine. Il fallait convaincre huit membres de la famille Czartoryski. Il fallait aussi compter sur le ressentiment de certains des locataires, Michelle Morgan surtout, mais finalement tous durent partir. Tous sauf moi.

Marie-Hélène prit en charge l'aménagement intérieur de la galerie d'Hercule, qu'elle adorait. Elle se sentait chez elle. Parfois elle recevait ses amies dans le salon attenant à sa chambre. Elle était toujours entourée de fleurs, portant parfois simplement un tailleur-pantalon de Saint Laurent. Il y eut pourtant cette période assez triste durant laquelle Guy et Marie-Hélène quittèrent Paris pour New York, entre 1981 et 1985. Guy avait décidé de quitter la France après la nationalisation de sa banque par Mitterrand. Mais ils ne devaient finalement pas se plaire à New York.

Marie-Hélène appartenait tout entière à Paris : les New-yorkais ne l'intéressaient pas. Guy et elle occupaient un appartement à l'est de la 64ᵉ rue, entre Lexington et la 3ᵉ avenue. C'est le décorateur Geoffrey Bennison qui le leur avait aménagé. En fait, Marie-Hélène se sentait perdue là-bas, aussi revint-elle bientôt habiter Paris, tandis que Guy devait s'attarder plus longtemps.

Noureev était un intime de Marie-Hélène. Elle l'adorait, tout comme l'adoraient aussi Douce François et Raymundo de Larrain. Elle assistait à chacune de ses premières. Il était assez pingre en revanche, sans doute à cause de son extrême pauvreté durant l'enfance. C'était un merveilleux danseur, avec quelque chose d'animal en lui : c'était fascinant. À bien des égards, ils étaient tous les deux du même bois : chacun possédant une nature volcanique, chacun étant animé de sentiments forts, avec le goût du faste et notamment celui des bijoux ou des tissus rares. Noureev notait toujours ce que Marie-Hélène portait, parfois même il lui retirait les bijoux qu'elle portait pour se les mettre autour du cou.

Il aimait lui montrer les décors des productions qu'il montait. Quand il tomba malade puis, plus tard, quand il fut mourant, elle lui rendait visite en veillant à toujours porter ses vêtements les plus élégants, de manière à lui remonter le moral.

Marie-Hélène adorait les cadeaux, elle tenait tout particulièrement à ce que ses invités lui en offrent. Et s'il lui semblait que le papier cadeau jurait avec le décor de la pièce, elle le faisait recouvrir d'un autre, plus adéquat.

Elle n'était pas du genre à sortir pour sortir, mais quand on l'invitait, ou quand elle recevait, elle se montrait très sélective. Elle aimait les artistes, les musiciens et les peintres – tous gens bien différents. Encore une fois, ce n'était pas quelqu'un de conventionnel. Mais après tout, rien n'est plus assommant qu'un dîner de cent couverts avec des têtes couronnées !

Ses goûts et ses dégoûts étaient très sûrs : elle était une amie à vie mais pouvait être une ennemie mortelle. Elle protégeait ses amis avec passion. Un jour, elle se rendit chez une duchesse portugaise dont elle estimait qu'elle s'était mal conduit avec une de ses amies et dit à son chauffeur : « Ne bougez pas d'ici, et si je ne suis pas revenue dans vingt minutes, appelez la police ! »

Elle pouvait se montrer très jalouse aussi : un de nos amis préféra garder secrète l'annonce de son mariage à venir de peur de lui déplaire.

Un jour, pendant une corrida au Portugal, elle fit un malaise et fut évacuée par quatre hommes qui durent la porter. Ils la soulevèrent littéralement et l'emmenèrent ainsi aux yeux de tous. La scène était étonnante, mais elle était souvent ainsi le centre d'attention. Les gens lui étaient très attachés, elle était incroyablement charismatique.

Elle pouvait aussi se révéler une hôtesse à la détermination sans faille. Quand Marie-Hélène priait sa secrétaire de passer un coup de fil à quelqu'un pour l'inviter à dîner, on pouvait être sûr qu'elle écoutait sur une autre ligne. Et si la ou les personnes répondaient qu'il leur était

impossible d'accepter l'invitation, on entendait soudain la voix courroucée de Marie-Hélène :
« Comment ? qu'est-ce que j'entends ? vous ne pouvez pas venir ? »

De même, si un ministre était retenu par quelque importante mission gouvernementale, elle ne voulait rien savoir et l'obligeait à venir la rejoindre au plus vite.

Il pouvait lui arriver de recevoir ses amis les plus intimes dans sa salle de bains. On était alors prié de s'asseoir sur de petites chaises pendant qu'elle reposait dans la baignoire, faisant la conversation, une couverture de flanelle étendue comme il le fallait, là où il le fallait. Parfois, elle s'amusait à demander leur poids aux uns et aux autres, et malheur à celui qu'elle suspectait de mentir : il était immédiatement prié d'aller se peser dans sa salle de bains !

Elle ne pouvait entendre prononcer le nom de Mitterrand sans entrer dans une rage folle, et cela parce qu'il avait nationalisé la banque Rothschild.

En 1973, elle avait accepté de patronner un défilé de mode qui devait avoir lieu dans le théâtre du château de Versailles. Cinq créateurs américains et cinq autres, français, devaient venir y présenter leur collection, à la suite de quoi Liza Minnelli devait chanter *Cabaret*. Après cela, un grand dîner assis était prévu dans le château. Je me souviens très bien que Noureev devait prendre un avion à sept heures du matin : Marie-Hélène et moi restâmes donc assis à bavarder sur les marches du château jusqu'à cinq heures ce matin-là, attendant le lever du soleil.

L'année suivante, Andy Warhol s'était résolu à faire son portrait. Il vint déjeuner au Lambert et s'attendait à y voir des domestiques en livrée et perruque. Bien qu'il y eut pas mal de serviteurs ce jour-là, ils étaient habillés simplement, ainsi que l'exige l'étiquette pour un déjeuner. Warhol en revanche, portait le jean et la veste noire qui devaient être son uniforme durant tout son séjour à Paris cette année-là. Bob Colacello, qui l'accompagnait, lui avait conseillé de flatter le plus possible Marie-Hélène, dans le but d'obtenir la commande d'un portrait. Malheureusement pour lui, il avait eu le malheur de faire juste avant ceux de Sao Schlumberger et de Hélène Rochas. Aussi, durant tout le déjeuner, Marie-Hélène ne conversa-t-elle qu'avec Saint Laurent, n'adressant pas un seul mot à Andy Warhol, pourtant assis à côté d'elle. Il en fut mortifié et s'en retourna tout penaud.

Au début des années 1990, Marie-Hélène organisa plusieurs galas à l'Opéra-Comique. Elle y consacrait toute son énergie. Pierre Céleyron s'occupait de la décoration cependant qu'elle se réservait le menu. Et à chaque fois, c'est son chef qui cuisinait pour plusieurs centaines d'invités.

Avec Liza Minnelli.

Les fréquents séjours qu'elle effectuait à Ferrières, le château que le couple possédait aux environs de Paris, constituaient l'un des temps forts de la vie de Marie-Hélène. Guy lui-même décrivait l'endroit comme un lieu magique : un château endormi, niché au fond d'une sombre forêt, qui avait connu bien des tribulations tout au long de sa longue existence.

Ferrières a été construit par le célèbre architecte britannique Joseph Paxton, surtout connu pour son amitié avec le duc de Devonshire et pour les travaux qu'il a entrepris à Chatsworth. Il a conçu l'endroit comme un cube de vastes dimensions, flanqué de quatre tours carrées. Celles-ci étaient à l'origine coiffées de flèches mais on y a par la suite substitué des coupoles. Au centre de l'édifice se trouve l'imposant hall qui occupe deux niveaux et que surmonte une verrière. Différentes pièces de réception sont reliées les unes aux autres. On a souvent décrit ce château comme le plus parfait exemple du style Second Empire, ou comme une « demeure victorienne, qui aurait été conçue sur un plan élisabéthain et arrangée à la mode Napoléon III ».

En le voyant, le roi Guillaume Ier de Prusse se serait écrié : « Quel palais incroyable ! Jamais un roi n'aurait osé construire cela, seul un Rothschild pouvait le faire ! »

Le chancelier Bismarck en revanche décrivait Ferrières comme une « commode renversée ». L'endroit était à la fois grandiose et confortable, dans la pure tradition Rothschild, parfaite synthèse du goût Napoléon III, avec les objets d'art les plus exquis et des choses plus simples aussi telles que des photographies de famille, des livres rares, des miniatures et d'autres choses du même goût.

À la fin des années 1970, Guy et Marie-Hélène firent don du château à l'Université de Paris, espérant qu'il connaîtrait ainsi une nouvelle existence. Hélas, depuis, il a surtout donné l'impression de s'être assoupi à nouveau.

Guy aimait ce lieu qui lui rappelait les aventures qu'il y avait vécues enfant. Un endroit tout à la fois effrayant et excitant. La famille de Rothschild avait l'habitude d'y séjourner à l'automne, durant la saison de la chasse.

Guy et Marie-Hélène avaient rouvert Ferrières en 1959. Elle a contribué à lui redonner vie, non seulement grâce aux bals qu'elle y a donnés mais aussi pour les nombreux week-ends qu'elle savait y organiser. Tous deux célébrèrent sa réouverture par un grand bal dont le thème était le château de la belle au bois dormant. Guy s'était lui-même employé à restaurer les chambres d'amis, qui furent bientôt remplies par les nombreux amis de Marie-Hélène. Quand les Pompidou devinrent des intimes[1], ils devinrent eux aussi des hôtes réguliers, et Georges Pompidou y était

---

1 On était désormais loin de l'époque où Maggie van Zuylen, inquiète, interrogeait Maurice Rheims : « Mais qui est donc ce Georges Pompidou auprès duquel je dois dîner ce soir ? », ainsi que celui-ci le rapporte dans *Haute curiosité*.

Aux courses, Guy et Marie-Hélène interviewés par Léon Zitrone.

toujours écouté avec la plus grande attention. Marie-Hélène reçut aussi à Ferrières Arthur Rubinstein, Herbert von Karajan, Isaac Stern, Rostropovitch et bien d'autres encore.

Richard Burton et Elizabeth Taylor ont été eux aussi fréquemment invités. Ils prenaient chaque matin pour leur petit-déjeuner une bouteille de whisky qu'on leur montait à leur demande. Je pense que Richard aimait bien Marie-Hélène, même s'il a noté quelque part dans son journal : « C'est une femme assez laide, avec le nez patté, des lèvres négroïdes mais avec des yeux merveilleux, elle est très vive d'esprit et, quand elle s'adresse à vous, elle parle à la vitesse d'une mitraillette, en plusieurs langues, ce qui la rend très attirante ».

Richard a rendu compte également de la soirée d'anniversaire qu'elle avait donné à Ferrières en novembre 1968, dans un moment où Guy était très malheureux à cause de la maladie de son chien dachshund auquel il était très attaché. Nous étions restés assis tous ensemble, Richard déclamant du Shakespeare et interprétant ensuite, avec Elizabeth, une ballade galloise.

Bientôt, on relança les parties de chasse et Noël redevint la grande affaire de Ferrières. J'y étais toujours convié : le réveillon de Noël donnait lieu à chaque fois à un grand dîner dans la salle à manger. Chaque année on choisissait un thème différent, et le salon était toujours rempli de cadeaux.

Quand Guy prit la décision de renoncer au château, il fit construire un chalet un peu plus loin dans la propriété. La petite maison bénéficiait du parc, elle n'était pas très confortable mais elle était nettement plus facile à entretenir. Chauffer le château exigeait en effet qu'on brûle trois arbres chaque jour, cela demandait aussi un personnel important. Guy était très attaché à ce chalet. Il plaisantait souvent, disant lui-même qu'il avait toujours voulu échanger un château à la campagne et un hôtel particulier à Paris contre un petit chalet et un appartement en ville. Au lieu de cela, il se retrouvait avec le chalet et un véritable palais sur une île ! Comme avait coutume de le dire Marie-Hélène : « ce qui arrive n'est jamais ce qu'on espérait… »

LES COURSES

C'est mon amitié pour les Rothschild qui m'a fait découvrir le monde des courses. L'intérêt que Guy portait aux courses et à l'élevage remontait à sa prime jeunesse. Lui-même disait souvent que quand il repensait à son enfance, la vue de quelqu'un tenant d'une main une pouliche et de l'autre un poulain de quelques semaines lui était plus familière que celle de son premier ours en peluche.

Les Rothschild possèdent le haras de Meautry près de Deauville, et Guy en avait repris la direction à la mort de son père. Il devint à son tour un véritable expert en matière d'élevage et

Avec Guy
et Marie-Hélène, en 1978.

de reproduction, possédant lui-même une très belle écurie de course qui lui permit de remporter de nombreux prix. La reine d'Angleterre en personne est venue visiter l'écurie en 1967, effectuant là l'une des rares visites privées qu'elle s'autorise généralement durant une visite d'État.

Guy aimait passionnément les courses et maîtrisait parfaitement l'étiquette qui leur est propre. En Angleterre ainsi, personne n'applaudit aux courses. Les Britanniques sont à l'image de ces femmes suprêmement élégantes, vêtues de noir et blanc, qu'on voit dans le film *My Fair Lady* : tout en retenue et dans une parfaite maîtrise de soi. Pourtant, quand ces mêmes Anglais arrivent en France, ils se mettent à applaudir ! Inutile de préciser que Marie-Hélène n'observait aucune de ces règles et qu'elle applaudissait à tout rompre où qu'elle se trouvât. Le jour où l'on refusa de nous reconnaître la victoire dans une épreuve qui avait lieu outre-Manche, Marie-Hélène laissa échapper un tel juron que son cousin, sir Evelyn de Rothschild, se demanda si la famille tout entière n'était pas désormais déconsidérée à jamais aux yeux des turfistes britanniques.

J'ai commencé à posséder des chevaux de course en 1968. Je les achetais souvent en association avec Marie-Hélène. Nous demandions à Guy de les choisir pour nous, considérant qu'il était bien meilleur juge. En 1970, durant les ventes d'été, il nous conseilla deux chevaux : un poulain nommé Pleben, et une pouliche du nom de Rescousse[1]. J'achetai seul Pleben mais partageai

---

1 Afin d'immortaliser ces deux chevaux de course, Alexis de Redé les fit peindre l'un et l'autre par Bernard de Clavière. Les deux toiles figurent dans le catalogue de la vente Redé sous les n°s 810 (Rescousse) et 811 (Pleben).

217

Yves St Martin
1ère
Prix de Diane
1972

Rescousse et Pleben,
mes deux "champions".

218

Avec Yves Saint-Martin, le jockey de Rescousse.

Rescousse avec Marie-Hélène. Ces chevaux n'étaient pas hors de prix, tous deux avaient un excellent pedigree. Leurs probabilités de gagner étaient élevées. En 1972, je remportai le prix de Diane avec Rescousse et je terminai second avec Pleben au prix de l'Arc de triomphe. Cette même année, Pleben fut déclaré vainqueur au grand prix de Paris, considéré à l'époque comme un prix important mais qui n'existe plus aujourd'hui. Il gagna également le prix Saint-Léger. En termes de probabilités, c'était un énorme succès.

La victoire de Rescousse au grand prix de France en 1972 fut terriblement excitante. C'est Yves Saint-Martin qui montait cette pouliche assez indépendante que son entraîneur conseillait toujours de retenir le plus longtemps possible. Lors de cette épreuve elle fit un départ foudroyant, et Saint-Martin eut très vite à choisir une stratégie. Il prit la décision de désobéir à l'entraîneur et choisit de conserver son avance. Il fit juste en sorte de la calmer un peu et de régler son allure. Sa tactique se révéla excellente, il remporta la course. S'il avait suivi les conseils de l'entraîneur, il aurait perdu. Ce fut là une performance incroyable et l'une de mes plus belles émotions aux courses.

Naturellement, mon jockey portait aussi mes couleurs : toque de velours noir avec galon doré, et casaque orange aux manches blanches, tout cela dessiné par Marie-Hélène. Durant des années, nous sommes allés à Longchamp tous les dimanches. Les chevaux sont une tradition très ancienne chez les Rothschild.

Le bal Oriental

D URANT LES ANNÉES QUI ONT SUIVI LA MORT D'ARTURO, j'ai continué à recevoir. Un jour, alors que je m'apprêtais à donner une grande fête, quarante-cinq personnes appelèrent à tour de rôle, entre midi et seize heures, pour s'excuser. C'était assez déconcertant. J'eus bientôt l'explication. Un ami, le colonel Daniel Sickles, père de plusieurs filles ravissantes et grand collectionneur de livres, avait organisé un buffet dansant la veille. Il avait fait servir des œufs dans des plats en métal, ce qui avait intoxiqué plusieurs convives. Certains d'entre eux durent être hospitalisés et trois en moururent. Cela montre combien il peut être dangereux de recevoir.

Une autre fois, pour un bal que j'ai donné en 1966, j'avais fait construire un escalier qui menait de la bibliothèque au jardin, et j'avais fait décorer celui-ci à la manière d'une boîte de nuit. Malheureusement, il devait rester quasiment vide durant toute la soirée : alors que la journée avait été particulièrement ensoleillée, la pluie s'était mise à tomber vers vingt heures, sans discontinuer. Je m'abstiens désormais de faire de telles choses, la presse est ensuite trop heureuse d'en faire ses gorges chaudes.

Quand il m'arrive de recevoir, je veille tout particulièrement à ce que la nourriture soit aussi abondante à la fin de la soirée qu'elle l'était au début : rien n'est plus déprimant en effet que le spectacle d'assiettes à moitié vides ou les grands plats dans lesquels gisent des poissons à moitié découpés. Peu m'importe qu'il y ait des restes à la fin de la soirée : on trouve toujours quelqu'un à qui les donner !

Un jour, lors d'une soirée que j'avais donnée en petit comité, je montai un moment après le dîner pour me reposer et sans m'en apercevoir, je finis par sombrer dans un profond sommeil. Sans doute étais-je particulièrement fatigué. Je finis pourtant par me réveiller et descendis alors pour voir comment se passait la soirée mais il n'y avait plus personne en bas ! J'interrogeai le maître d'hôtel et lui demandai où étaient passés tous les invités, il me répondit alors : « Il est huit heures du matin, monsieur, ils sont tous rentrés chez eux ».

Aujourd'hui, je reçois de manière moins formelle qu'autrefois. Il y eut un temps bien sûr où je faisais disposer cinq tables, un laquais en livrée se tenant derrière chacune. Ces valets étaient formés de manière à circuler comme ils l'auraient fait dans un ballet, servant chaque plat à l'unisson.

J'aime les choses un peu spéciales. Je peux par exemple faire servir des soufflés à la truffe dans de petits ramequins commandés tout exprès en Inde. Certains s'étonnent que je garnisse mes rince-doigts d'une rose entière. Et pourtant, ensuite, ils se souviennent des fleurs qui embaumaient. Un jour, un de mes invités aperçut une goutte de rosée déposée sur le pétale d'une

Au bal Oriental,
avec Guy et Marie-Hélène
de Rothschild.

de ces roses : il fut très impressionné de voir que cette goutte était restée durant tout le temps du déjeuner. On a quelquefois essayé de m'imiter mais peu de gens y ont réussi.

C'est durant les années dont je parle (mai 1965), qu'Hélène Rochas donna un bal assez fantastique à la Grande Cascade du bois de Boulogne. Elle l'avait appelé le bal de My Fair Lady et les costumes s'inspiraient directement de ceux que Cecil Beaton avait dessinés pour le film éponyme, sorti en janvier de la même année. Elle avait fait appel aux serveurs de chez Castel et les avait tous déguisés en marchands des quatre saisons.

Hélène a toujours été une grande beauté et une grande amie[1]. Toute jeune, elle avait été repérée par Marcel Rochas dans le métro parisien. Il finit par divorcer pour l'épouser. Un jour où nous étions tous à Venise, il vint me trouver pour me dire qu'elle était tombée amoureuse de Porfirio Rubirosa, et me demanda mon avis. Ma réponse fut la suivante : « Il n'y a rien à faire, vous devez attendre que ça lui passe ».

Tous les jours, Rubirosa passait à la boutique et achetait de grandes bouteilles de parfum.

À la mort de Rochas, Hélène demeura une hôtesse très courue.

J'ai souvent donné des bals dès que l'humeur m'en prenait. En 1967, il y en eut un où j'accueillais mes invités alors qu'un petit orchestre était placé derrière moi. La duchesse de Windsor regardait les invités arriver, vêtue d'une robe de crêpe blanc de chez Dior à propos de laquelle elle disait à tout bout de champ : « C'est la seule que ma femme de chambre n'ait pas envoyée chez le blanchisseur ».

C'est à propos de cette soirée que Suzy Knickerbocker a écrit : « De ma vie, je n'avais encore jamais senti autant l'opulence : rien n'égale l'alchimie subtile d'un parfum français et de l'odeur de l'argent ».

Le bal Oriental que j'ai donné en 1969 a été décrit comme l'un des plus mémorables du XXe siècle, il fut en effet un des grands moments de ma vie. On me demande souvent pour quelles raisons je l'ai donné et je suis bien obligé de répondre qu'il n'y avait pas de raison particulière, sinon celle de donner un bal ! C'est le bal Oriental qui m'a vraiment fait connaître du Tout-Paris, ce bal et mes succès occasionnels aux courses. Cela me valut une énorme publicité. J'avais commencé à y penser en mars 1969, je lançai les invitations en mai et le bal eut lieu le 5 décembre.

Il y avait environ quatre cents invités. Personne n'avait bien sûr dîné avant. Le bal débuta à vingt-deux heures et dura jusqu'à cinq heures du matin.

---

1 Décédée le 6 août 2011, Hélène Rochas était toujours en vie quand Alexis de Redé rédigeait ses mémoires.

LE BAL ORIENTAL

en l'Hôtel Lambert

Paris

le

5 Décembre

1969

La galerie d'Hercule.

La galerie d'Hercule.

Guy de Rothschild.

Marie-Hélène de Rothschild.

Mme Arturo Lopez-Willshaw.

Mme Vincente Minnelli.

Mᵐᵉ Graham Mattison.

La vicomtesse de Ribes.

Mᵐᵉ Jean-Claude Abreu.

Serge Lifar.

La vicomtesse de Bonchamps.

Le prince Rupert zu Loewenstein.

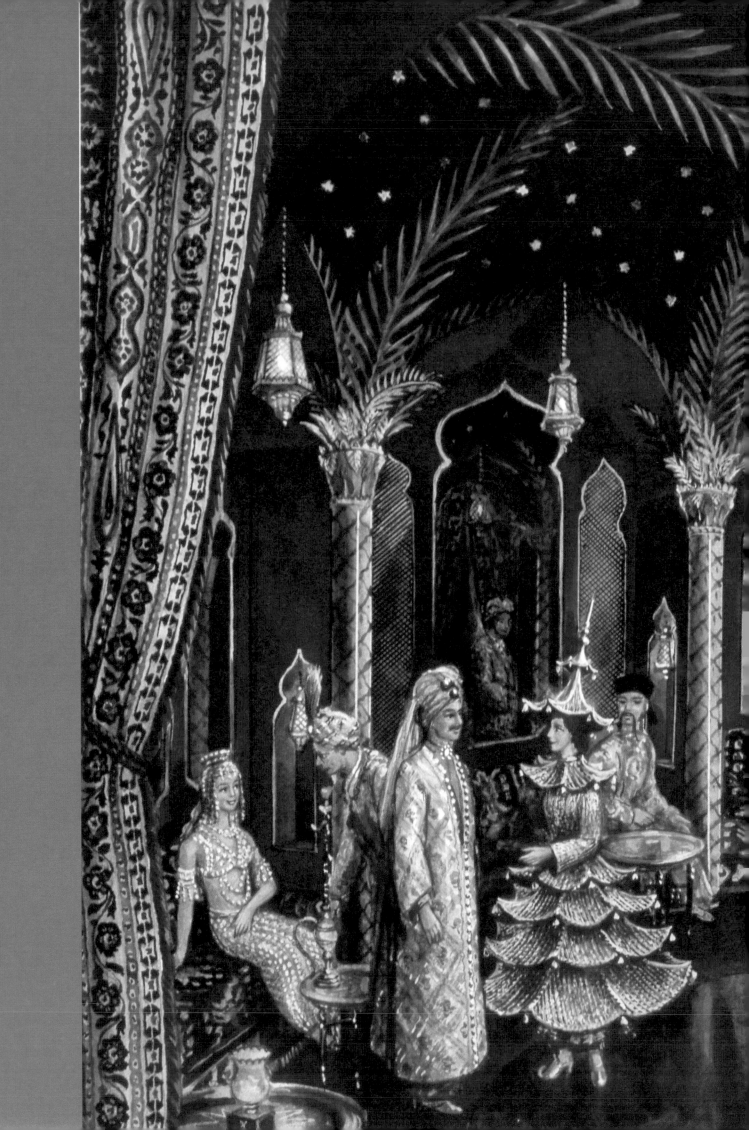

Mon costume oriental.

La cour d'honneur.

Les décorateurs du bal, Valerian Styx-Rybar et Jean-François Daigre.

Le danseur cambodgien.

L'escalier d'honneur.

Amanda Lear et Salvador Dalí.

Jean-François Daigre, découvert par Marie-Hélène, s'occupa des décors. Il avait travaillé pour Jacques Dupont et s'il faisait preuve d'une imagination remarquable, il avait un caractère bien trempé. Il y eut quelques échanges assez vifs entre Marie-Hélène et lui. Il perdait parfois son calme et se mettait à crier : « Vous n'avez qu'à le faire vous-même ! » et l'orage éclatait alors. Il y eut bientôt tellement de disputes que cela en devenait vraiment angoissant. Finalement tout s'arrangea, et tout se passa merveilleusement durant le bal cette nuit-là.

Daigre avait transformé le Lambert en une fantaisie orientale. Il y avait deux éléphants grandeur nature en papier mâché dans la cour. Ils étaient caparaçonnés et un cornac se tenait assis au sommet de chacun d'eux, abrité sous un baldaquin doré. Au pied de l'escalier, deux musiciens hindous jouaient pour l'un de la cithare, pour l'autre de ces sortes de cymbales indiennes qui sont toutes petites. Le premier portait une tenue rouge et or tandis que son comparse, qui était d'une grande beauté, avait revêtu un sari couleur turquoise. Dans l'espace qui séparait l'escalier des appartements privés, seize solides gaillards qu'on avait recrutés dans des salles de sport parisiennes, étaient déguisés en esclaves nubiens. Torse nu, ils étaient postés à intervalle régulier et faisaient fonction de porte-torchères. Enfin, à l'entrée des appartements, un personnage arborant une tunique noire, coiffé d'un ample turban de la même couleur, annonçait chacun des invités d'une voix théâtrale. J'accueillais moi-même chacun de mes hôtes, habillé en prince moghol, mon costume ayant été dessiné par Pierre Cardin.

Le Lambert n'était pas autre chose ce soir-là qu'une invitation à voyager au pays des mille et une nuits, et tout y embaumait la myrrhe et le jasmin. La galerie d'Hercule bruissait de Turcs, de Russes, de Chinois et de Japonais. Turbans et fausses barbes y abondaient. D'ailleurs, le mari d'Estée Lauder ne cessa de se plaindre durant toute la soirée que la moustache postiche qui complétait son costume de Fu Manchu, le génie maléfique de la célèbre saga, ne tenait pas…

Marie-Hélène apparut en danseuse du Siam, Johannes von Thurn und Taxis en hussard, mais l'invitée qui eut ma préférence fut la vicomtesse de Bonchamps, née Dale King, une Américaine qui vivait alors avenue Foch. Elle arriva déguisée en pagode : on dut la transporter jusqu'au Lambert à l'arrière d'un camion, et elle ne put s'asseoir tant qu'elle n'eut pas quitté son déguisement. Il faut parfois choisir entre l'effet qu'on veut produire et l'envie de profiter de sa soirée. Je ne suis pas certain qu'elle y avait vraiment réfléchi…

Le joaillier Kenneth J. Lane portait quant à lui une toque de zibeline de Sibérie à laquelle pendaient des queues de loup, et une grande cape de fourrure en moufette, elle aussi garnie de loup. Comme la nuit était assez chaude, il dut souffrir un peu. Parmi les invités figuraient également l'Aga Khan, sa femme et la bégum douairière, la princesse Margrethe et le prince

Sita Devi,
maharani de Baroda.

Henrik de Danemark, Valerian Styx-Rybar, Jimmy Douglas, les Loewenstein et Bettina. L'un des invités vint même accompagné d'une jeune panthère.

Brigitte Bardot était quant à elle à demi-nue, revêtue d'une sorte de bikini fait de médailles et de piécettes, et d'un minuscule chiffon noir. Plus dénudée encore, la toute récente veuve de Porfirio Rubirosa, Odile, à propos de laquelle la presse écrivit que : « elle était presque nue, les fesses recouvertes d'une simple cotte de mailles, couleur argent, à travers les larges fentes de laquelle ses charmes brillaient de tous leurs feux ». On pouvait s'attendre à ce qu'un pareil costume fût jugé audacieux.

Le bal était à peine terminé que Nancy Mitford – qui n'avait cessé de se conduire comme une peste avec moi depuis les années 1950 – s'amusa à livrer à ses amis sa propre version de la soirée. Je me hâte de préciser que naturellement elle n'y avait pas assisté. Le compte rendu qui suit est extrait de l'édition des *Lettres de Nancy* par Charlotte Mosley : « Si Redé vivait en Angleterre, il aurait été poursuivi pour relations interraciales. La cour du Lambert était en effet remplie de nègres totalement nus portant des torches et qu'on avait obligés à rester là toute la soirée (L'un d'eux, qu'on avait surpris à enfiler un gilet fut aussitôt tancé par le chef de la bande qui le pressa de le retirer sur-le-champ!) Il y avait même des enfants noirs, nus eux aussi, juchés sur des éléphants. Les "esclaves" en question avaient leur numéro de téléphone gravés sur la cheville en lettres lumineuses. Tout cela vous avait un côté très "bon vieux temps jadis". Coût estimé : trente mille livres. Nul doute que ça les valait bien ».

Clé-Clé de Maillé assista au bal. Ce fut sa dernière apparition en public. Le jour suivant en effet, elle entrait en clinique où elle devait mourir deux semaines plus tard. On lui avait diagnostiqué un cancer du sein mais elle n'avait pas voulu entendre parler d'ablation tant elle avait aimé, sa vie durant, prendre nue des bains de soleil. Elle préféra en passer par la chimiothérapie qui ne devait hélas avoir que des résultats désolants.

L'une des difficultés qui peuvent surgir lors de ce genre d'évènement tient pour beaucoup à l'épineuse question de l'étiquette. Je connaissais Sita Devi, la maharani de Baroda, depuis des années, et naturellement je lui avais fait parvenir une invitation. Elle me fit en retour passer un message suivant lequel elle ne pourrait accepter mon invitation que si celle-ci était adressée à "Son Altesse Royale".

Je n'étais pas convaincu qu'elle eût jamais été altesse royale, aussi passai-je un coup de fil au duc de Windsor pour lui demander son avis. « Il ne fait aucun doute qu'elle n'est pas altesse royale, elle n'est même pas autorisée à se faire appeler Altesse » me répondit-il. Je décidai donc de maintenir ma position et la maharani ne vint pas au bal.

Son histoire personnelle est de ces épopées tellement fantastiques qu'elle paraît difficile à croire de nos jours. Née en 1917, Sita Devi (comme elle se faisait appeler) était la fille d'un obscur petit prince du sud de l'Inde. Il y avait eu un premier mariage et, comme elle était hindoue, elle avait provisoirement embrassé la religion musulmane afin de pouvoir divorcer.

En 1943, elle s'était remariée avec Pratapsinhro, maharajah de Baroda, considéré alors comme le deuxième homme le plus riche du monde après le Nizam de Hyderabad. Celui-ci avait déjà une femme et des enfants, aussi ce remariage était-il contraire aux lois britanniques alors en vigueur en Inde, lois qui interdisaient la polygamie. Le maharajah fit savoir qu'il se situait au-dessus de ces lois, et dans les premiers temps du mariage, Sita Devi fut donc obligée de s'asseoir, à table, à la gauche du souverain tandis que la première épouse prenait place à droite.

Sita n'était pas très populaire en Inde. On la surnomma bientôt la "Wallis Simpson indienne". Elle poussait son mari à engager des dépenses coûteuses, comme investir dans des écuries de courses. Son cheval Aquino II remporta d'ailleurs la coupe à Ascot en 1952.

Le maharajah offrait en retour à son épouse des bijoux fabuleux, bijoux qu'elle faisait aussitôt disparaître dans ses appartements de Londres et de Paris. Après l'indépendance, cela constitua d'ailleurs une pomme de discorde avec le nouveau gouvernement indien, celui-ci exigeant leur restitution. Le maharajah rendit alors un collier orné de six diamants de Golconde, et six des sept rangs d'un célèbre collier de perles. Mais la maharani conserva le fameux "tapis de perles de Baroda". Placé à l'abri dans le coffre d'une banque genevoise, il fut vendu par la suite à un magnat du pétrole. Elle garda aussi l'Étoile du sud, célèbre diamant de 1 528 carats, et le Dresde, diamant de 78 carats, toutes deux pierres d'exception que le maharajah portait en collier dans les années 1860 et qu'il avait achetées avec les revenus de l'État à l'époque où ceux-ci se confondaient avec ceux du souverain. Sans surprise, le mari de Sita fut contraint d'abdiquer en 1948, Baroda fut alors réuni à la province de Bombay.

En 1951, Nehru s'en prit au maharajah. Sita se trouvait alors à New York et préféra s'envoler pour Londres. « Je n'arrivais pas à avoir l'Inde au téléphone depuis l'Amérique, prétextait-elle, c'est pour cela que j'ai dû m'établir outre-Atlantique » ! Sita choisit finalement de demeurer en Europe. Dans les années qui suivirent, on fit souvent appel à Van Cleef & Arpels pour démonter et remonter ses bijoux. Durant les années 1950, ils réalisèrent pour elle une parure constituée d'un tour de cou de treize émeraudes ornées de diamants et de pendants d'oreille, le collier à lui

Odile Rubirosa,
veuve du play-boy
Porfirio Rubirosa.

seul totalisant 150 carats. Il avait été baptisé le "collier hindou", et son montage donnait aux pierres l'apparence d'une fleur de lotus. La maharani devait le revendre à Monte-Carlo en 1974.

En 1954, Van Cleef créa encore pour elle un collier de trente et une émeraudes et de treize rubis en cabochon, orné de trois cent vingt-quatre brillants, sur une monture en or.

En 1953, la maharani vendit chez Harry Winston une paire de bracelets de cheville fait de cabochons d'émeraudes et de diamants rose. Le joaillier les transforma en un collier que le duc de Windsor devait finalement offrir à son épouse. Malheureusement, en 1957, la duchesse et Sita se croisèrent à un bal. En apercevant le collier, Sita fit remarquer à voix haute qu'à l'époque où elles lui appartenaient, elle considérait que les émeraudes que la duchesse portait désormais

Brigitte Bardot.

autour du cou étaient à peine dignes de ses pieds. Blême, la duchesse fit alors rapporter le collier chez le joaillier. Harry Winston dut promettre de ne jamais le revendre à quiconque ferait partie de l'entourage de la duchesse ou aurait pu avoir connaissance de cette histoire. C'est pour cette raison que Christina Onassis ne put l'acheter quand elle en émit le souhait, quelques années plus tard, et pour cela aussi que le collier échoua finalement quelque part au Texas.

En 1956, le maharajah et Sita divorcèrent. Celle-ci s'installa à demeure dans une suite de l'hôtel de Paris à Monte-Carlo. Une nuit où j'étais sorti chez Régine, la boîte de nuit où elle avait une table réservée en permanence, je la vis arriver avec un homme et s'apercevoir que sa table habituelle était prise. L'homme qui l'accompagnait s'approcha alors de celui qui occupait la table en question pour lui prier de la lui rendre puisqu'il s'agissait de la table de la maharani de Baroda. Devant le refus du quidam, le chevalier servant de la maharani le saisit par les épaules, le souleva puis le jeta hors de l'établissement, le laissant tout chancelant sur le capot d'une voiture.

Comme nous félicitions l'inconnu pour son savoir-faire, il se présenta et me tendit une carte en me précisant qu'il était avocat à Palerme. Il ajouta : « Si jamais vous aviez un jour besoin de régler une affaire rapidement, faites-moi signe ». Je le remerciai mais, de retour chez moi, j'eus soin de me débarrasser discrètement de sa carte.

En 1965, Sita acheta chez Wildenstein une toile de Boucher pour l'équivalent de trente-trois mille livres. En 1972, quand elle voulut la revendre, on lui répondit qu'il s'agissait d'une copie d'une valeur de sept cent cinquante livres. De manière assez solennelle, elle fit alors assigner en justice Wildenstein un jour où ils se trouvaient tous les deux, elle et lui, aux courses à Ascot.

L'homme de loi et magistrat lord Denning estima qu'attendu que tous deux étaient "citoyens du monde", l'affaire pouvait en effet être jugée en Grande-Bretagne.

De son côté, le maharajah s'était installé à Londres où il vivait tranquillement et où il devait mourir en 1968, à l'âge de 60 ans. Quant à la maharani, elle voyageait sans cesse entre ses différentes propriétés de Londres, New York, Saint-Moritz, Paris et Monte-Carlo, toujours flanquée de son énorme Rolls-Royce couleur crème. Son fils, surnommé Princie, était toujours à ses côtés. Il se montrait pour elle un compagnon constant et lui était extrêmement dévoué, l'aidant même à choisir ses bijoux et à les assortir à ses robes. Les apparences sont trompeuses pourtant : il entama une descente aux enfers où l'alcool et la drogue avaient leur part, et fut impliqué plus d'une fois dans des affaires de mœurs assez douteuses. La veille de ses 40 ans, au mois de mai 1985, on le retrouva mort, la gorge tranchée, du côté de Cagnes-sur-Mer, roué de coups, des bougies placées à ses pieds et contre sa tête.

Sa mère était déjà si malade qu'on préféra ne rien lui dire. Elle était devenue invalide et sa raison s'était altérée. Elle mourut l'année suivante dans une clinique de Neuilly, n'ayant que sa femme de chambre à son chevet. Ses bijoux surgissent parfois à la faveur d'une vente aux enchères mais personne ne connaît l'étendue réelle de cette fabuleuse collection.

Comme je regrette qu'elle n'ait pas accepté mon invitation pour le bal Oriental…

Je n'en garde pas moins de cette soirée un souvenir merveilleux, et je suis heureux que le souvenir en ait été fixé dans toute sa splendeur grâce à un volumineux album en maroquin, incrusté de pierres semi-précieuses, qui contient les aquarelles des décors et des costumes par Serebriakoff.

Le bal Proust

Marie-Hélène a donné deux grands bals à Ferrières. Le premier célébrait le centième anniversaire de la naissance de Marcel Proust. Il a eu lieu le 2 décembre 1971 et avait été baptisé bal Proust. Il y eut trois cent cinquante invités au dîner et deux cent cinquante de plus au souper qui suivit. La salle de bal avait été décorée de guirlandes de catleyas, et en son centre trônaient de gigantesques pièces montées élaborées à partir des fameuses madeleines immortalisées par le petit Marcel.

Les hommes avaient été priés de venir en habit et les femmes devaient choisir une robe inspirée par l'une des héroïnes d'*À la recherche du temps perdu*. Marie-Hélène portait de longs rangs de perles sur une robe de satin ivoire dessinée par Saint Laurent et tenait à la main un éventail en plumes d'autruche.

Bien sûr, il se trouva quelques grincheux pour dire que l'époque de ce genre de bals était passée, qu'on courait droit à la révolution, qu'il y aurait des grèves voire même qu'on jetterait des clous sur les routes situées aux portes de Paris pour empêcher les invités de se rendre au bal. Rien de tout cela n'arriva, et pendant les semaines qui précédèrent le bal, électriciens, décorateurs et fournisseurs de toutes sortes vinrent à Ferrières faire des lieux ce magnifique écrin qui était destiné à accueillir le bal en question.

Habituellement, la salle à manger était assez sombre à cause de ses boiseries. Pour la circonstance, on l'avait transformée à l'aide de palmiers et de fougères, et un éclairage avait été placé près des vitres, derrière des treillages. Je vois encore Marie-Hélène se hâter d'avaler un en-cas vers dix-sept heures le jour du bal, donner ses ordres à une douzaine de secrétaires, veiller aux placements à table, jongler parmi les noms des invités et régler les derniers détails de la soirée comme un général l'aurait fait pour une campagne militaire.

Quand la nuit tomba, les couloirs se remplirent de valets de pied en livrée écarlate, armés de candélabres. Cela impressionna vivement les premiers invités quand ils se virent ainsi escortés à travers les couloirs sombres jusqu'au grand salon.

Combien, parmi les invités, avaient réellement lu *La recherche,* le chef-d'œuvre de Proust ? La question vaut d'être posée. Moi-même, qui ai pourtant mené une existence assez proustienne, je dois avouer que je n'ai jamais lu en entier ce roman de douze volumes. Les couturiers présents ce soir-là ne l'avaient sans doute pas lu non plus, ils interprétèrent parfois certains des thèmes du roman davantage à leur convenance qu'avec le souci de respecter la vérité historique. Après tout, ce n'était pas en tant que créateurs de costumes d'époque qu'ils étaient connus. Certains trouvèrent toutefois un peu étrange la robe de la duchesse de Guermantes telle que l'avait imaginée Courrèges, et Saint Laurent fit beaucoup mieux avec Hélène Rochas, vêtue d'une robe de velours noir ornée de trois roses blanches. Quelqu'un prétendit malgré tout que sa coiffure ressemblait à du « sucre filé posé sur une crème glacée ». De son côté, le célèbre Alexandre avait accompli un travail irréprochable, coiffant d'un chignon brioche toutes les femmes de chambres, et les habillant de ces longues jupes qu'on portait à la Belle Époque.

Si le Château Lafite coulait parmi les orchidées couleur mauve pâle, le dîner, lui, fut servi dans la salle à manger, au milieu de petites tables garnies elles aussi d'orchidées et baptisées de noms proustiens comme Albertine, Odette, etc. Marie-Hélène était à la table Guermantes, Guy à la table Swann.

Marie-Hélène avait fait servir une spécialité de consommé, une sorte de bouillon de poule qui avait demandé à son chef trois mois de préparation. Il y eut ensuite un émincé de sole, des médaillons de homard et du canard farci au foie gras servi dans une assiette en argent décorée de morceaux d'ananas, de petites mirabelles, de cerises et d'une délicieuse marmelade de prunes. On termina sur une salade verte délicieusement craquante.

Après le dîner, d'autres invités arrivèrent, des jeunes gens pour la plupart, et un énorme buffet leur fut servi. Un orchestre jouait des valses cependant que des ménestrels interprétaient des chansons en s'accompagnant à la guitare. L'harmonie entre les danses de salon et d'autres, plus modernes et plus toniques, fut parfaite.

C'est à l'occasion de ce bal que Cecil Beaton joua les Nadar et photographia les invités pour le magazine *Vogue.* Il a laissé un compte rendu de la soirée assez piquant dans lequel il reconnaît que le bal fut « une réussite parfaite pour une reconstitution proustienne » et vanta le « souper, les chanteurs, les orchestres, les plats incroyables, les orchidées omniprésentes : orchidées pâles ou mauves, et les catleyas d'un mauve plus prononcé encore ».

Avec Joy de Rohan-Chabot,
au bal Proust.

256

Dans ses *Souvenirs* en revanche, Cecil s'est montré assez grossier avec certains des invités, en particulier avec Richard Burton et Elizabeth Taylor, mais ce qu'il a écrit sur Hélène Rochas plut beaucoup à cette dernière. Il est vrai qu'il la décrit comme la plus belle, toute de « velours noir, avec simplement trois roses sur son corsage, coiffée de son énorme chignon brioche ».

Je portai quant à moi ce soir-là un uniforme d'officier et je fus pris en photo aux côtés de Joy de Rohan-Chabot, l'une des filles de Brenda Balfour. Marisa Berenson était de son côté déguisée en marquise Casati[1]. Il y eut bien sûr beaucoup d'autres costumes, tous absolument somptueux. L'orchestre joua jusqu'à sept heures du matin. Les invités reprirent alors le chemin de Paris, se retrouvant tout à coup parmi les encombrements liés aux heures de bureau, quand la plupart des gens vont travailler.

La plus fidèle description de cette soirée a été faite par Richard Burton, qui s'est depuis révélé un excellent auteur de journal intime, doté d'un grand sens de l'observation et ayant semble-t-il goûté cette éphémère mais mémorable incursion dans la haute société parisienne. Melvyn Bragg a publié une partie de son journal dans la biographie qu'il lui a consacré : *Rich, the life of Richard Burton*.

Les Burton étaient venus avec Grace de Monaco, qu'ils étaient allés chercher à son domicile parisien de l'avenue Foch. De son côté, Guy s'était arrangé avec la police pour qu'on facilite la circulation aux abords de Ferrières, et Burton a écrit que ces arrangements étaient dus au fait que Georges Pompidou avait travaillé pour Guy avant et après avoir été premier ministre. Dans son *Journal*, il ajoute que « s'il n'y avait eu que le clip-clop des chevaux, le parfum de vieux cuir et jusqu'aux couvertures douillettes destinées à se protéger les jambes du froid, au lieu du ronronnement discret d'une Cadillac bien chauffée, on se serait vraiment cru revenu un siècle plus tôt ».

Les Burton accédèrent au château par une entrée latérale, ayant avec eux la duchesse de Windsor et la princesse Grace. De son côté, le coiffeur Alexandre faisait le tour des étages, dans la tradition des grands bals, s'occupant à lui seul de toutes ces dames, lesquelles devaient attendre patiemment que vienne leur tour. Richard Burton écrit que les consignes avaient été très strictes. On lui avait demandé d'arriver à vingt et une heures dix afin de passer à table à vingt et une heures trente précises. En réalité, les Burton ne purent descendre qu'à vingt-deux heures trente, et le dîner ne fut pas servi avant vingt-trois heures. Richard ajoute encore qu'il lui fallut encore quinze bonnes minutes rien que pour accéder à sa table.

---

1 Luisa Amann (1881-1957), fille d'un riche entrepreneur italien qui décéda alors qu'elle n'avait que 15 ans en lui laissant une immense fortune. Elle devint marquise par son mariage avec Camillo Casati. Personnage fantasque, amateur d'art, égérie et mécène, elle donna des fêtes somptueuses dans son palais inachevé à Venise (aujourd'hui palazzo Guggenheim) et posa pour de nombreux artistes. Elle mourut pourtant dans la misère, à Londres.

Marisa Berenson
en marquise Casati,
au bal Proust.

Il évoque aussi le ballet des serveurs circulant tant bien que mal parmi les tables, et les plats arrivant très lentement.

Résigné à attendre, il se mit alors à observer un homme assis en face de lui, à l'allure étrange : « Il ressemblait à première vue à un cadavre qui aurait été victime d'une opération de chirurgie plastique ratée bien que de rares mouvements semblaient indiquer qu'il était encore en vie. Il n'avait plus de sourcils, était atrocement poudré ou même teint, avec les cheveux blancs sur le sommet du crâne et des mèches brunes par-ci par-là, un peu comme moi. Son visage était couvert d'un maquillage atroce qui formait par endroits d'étranges petits grumeaux, bref le visage en pâte à modeler d'un étrange gamin ».

Par la suite, Burton apprit de sa voisine, Mme Louis Malle, que le cadavre en question n'était autre qu'Andy Warhol. Plus tard dans la soirée, Elizabeth Taylor raconta à Richard ce à quoi elle avait assisté de son côté, à l'autre bout de la table. Elle était assise à côté de Guy, de la duchesse de Windsor et de Maurice Herzog, l'homme qui avait gravi l'Annapurna en 1951. Il y avait laissé ses doigts et ses orteils mais cela ne l'avait pas empêché de s'initier ensuite au ski nautique. C'était un homme merveilleux, sa philosophie était simple : quand on a traversé de pareilles épreuves, soit on se comporte comme un handicapé pour le reste de sa vie, soit on décide de ne pas y attacher d'importance. Il avait choisi la seconde option : « D'après Elizabeth, la vedette de la soirée fut incontestablement la duchesse, qui semblait déjà légèrement gaga. La gigantesque plume qui était fichée dans sa coiffure avait une fâcheuse tendance à aller tremper partout : dans la soupe, dans les sauces ou dans la crème glacée, et à chaque fois qu'elle tournait la tête, la plume fouettait le visage de Guy, allait se poser sur ses yeux ou contre sa bouche et finit même à un moment donné par se coller sur sa moustache postiche ».

LE BAL SURRÉALISTE

Un an plus tard exactement, le 12 décembre 1972, Marie-Hélène donnait son bal Surréaliste à Ferrières. Cette fois on avait demandé aux invités de venir en smoking et robe longue, avec une tête totalement surréaliste. Le texte de l'invitation avait été rédigé à l'envers et le carton imprimé à l'encre bleue, dans un style inspiré des peintures de Magritte. Pour le déchiffrer, on devait d'abord le placer devant un miroir. Pour l'occasion, le château avait été éclairé à l'aide de faisceaux lumineux orange dont le mouvement permanent donnait l'impression qu'il était en feu. À l'intérieur, la cage d'escalier était remplie de valets, eux-mêmes déguisés, prenant la pose à la manière de chatons endormis.

Les invités devaient circuler à travers un labyrinthe infernal, fait de rubans noirs pour mieux ressembler à une toile d'araignée. De temps à autre, un chat apparaissait et venait délivrer les arrivants pour les mener dans le salon des Tapisseries. C'est là qu'ils étaient accueillis par

Hélène Rochas
au bal Proust.

261

Guy, coiffé d'un chapeau qui représentait une nature morte sur une assiette, et par Marie-Hélène. Cette dernière portait une tête de cerf géante en papier mâché qui pleurait des larmes de diamants.

Je portais quant à moi un ensemble formé de quatre masques, et seule la moitié de mon visage était visible. À leur sommet, des tiroirs contenaient des photographies de Marie-Hélène en Mona Lisa. Je remportai grâce à ce masque le deuxième prix. J'en ai fait don par la suite au musée Dalí de Figueiras.

Certains des invités s'étaient composé ce soir-là des têtes absolument fantastiques. On vit des visages peints et pas mal de paniers, de pommes et autres symboles du surréalisme. On vit des Magritte, des Picabia et des Dalí. Audrey Hepburn avait quant à elle une cage autour de la tête, elle devait l'ouvrir pour pouvoir dîner. Bien entendu, Dalí fut l'un des hôtes de marque de la soirée, il arriva en chaise roulante, accompagné de divers assistants.

Au menu : potage extralucide, imbroglio de cadavres exquis, lady et sir Loin, tubercules en folie, L'es-tu ? pêches et chèvre hurlant de tristesse, et Enfin ! Sur la table on avait disposé des

Derniers préparatifs avant le bal Surréaliste.

Mon masque, conçu par Salvador Dalí pour le bal Surréaliste.

Charlotte Aillaud accueillie par Marie-Hélène.

Avec Marie-Hélène
de Rothschild.

Audrey Hepburn
et sa tête cage.

Hélène Rochas
et François-Marie Banier.

poupées démembrées, ainsi que les fameuses lèvres de Mae West imaginées par Dalí, et encore toute une gamme d'images inspirées elles aussi par le surréalisme. Les convives étaient servis dans des "assiettes velues".

À la fin de la soirée, sept valets de pied apportèrent un plateau sur lequel reposait une femme entièrement nue étendue sur un lit de roses. Tout cela avait été entièrement réalisé à partir de sucre filé et fut ensuite mangé, y compris la femme nue.

Avec ces deux bals, Marie-Hélène avait prouvé qu'elle avait tout le génie et l'inspiration nécessaires pour créer quelque chose d'unique et de mémorable. Ce n'était pas simplement l'effet de son charme et exigeait au contraire une détermination sans faille. Elle suivait dans le moindre détail n'importe quel moment de son existence, veillant à ce que tout fût fait avec élégance, et il en était de même chaque fois qu'elle recevait.

Marie-Hélène était une grande hôtesse. Elle possédait toutes les qualités requises pour cela. Elle adorait les gens et ne ratait aucune occasion de les rassembler. Elle était toujours à la recherche d'un nouveau talent, de nouveaux visages à aider dans le monde des arts, de la littérature, de la danse ou de la haute couture. Elle savait les mélanger à la société parisienne la plus choisie. Cela épatait tout le monde. Les soirées de Marie-Hélène constituaient toujours un évènement mondain d'une importance telle qu'un jour, une figure bien connue de la vie parisienne menaça de se suicider si elle n'était pas invitée !

Toutes ces soirées s'inscrivaient dans la tradition des grands bals qui ont été donnés à Paris au fil des siècles. On les suit depuis le règne d'Henri III jusqu'aux mascarades et aux carrousels qui plaisaient tant à Louis XIV. Au XXᵉ siècle, ce furent d'abord les bals Beaumont, Beistegui ou Cuevas puis ceux des Rothschild. De mon côté, j'ai fait ce que j'ai pu pour marquer mon époque avec quelques soirées mémorables.

Il ne serait plus possible de faire cela aujourd'hui, pour différentes raisons d'ailleurs. Il n'en reste pas moins qu'il est fascinant de se remémorer ces évènements dont l'organisation exigeait des mois et des mois de préparation. Je suis heureux d'avoir participé à tant d'entre eux, heureux aussi d'avoir pu en organiser quelques-uns.

Puisque je parlais plus haut des Burton, il me revient une description amusante que Richard a fait d'un déjeuner au Lambert, en octobre 1968 : « Nous sommes allés déjeuner chez Alexis de Redé où on nous a servi un délicieux déjeuner de poisson, suivi d'une perdrix et d'une extraordinaire crème glacée aux noisettes avec une part de gâteau. On a servi trois vins différents, sans étiquette, et un cognac, anonyme lui aussi, mais tous étaient excellents. Deux guerres dévastatrices, des impôts écrasants, et la haute aristocratie continue de vivre à la manière des aristos ! »[1]

Je me demande ce que Richard aurait écrit s'il avait assisté, à la fin des années 1980, à ce déjeuner où lord Spencer, le père de la princesse de Galles, se révéla trop lourd pour la chaise sur laquelle il était assis, la faisant littéralement s'effondrer sous son poids et le laissant alors choir bruyamment sur le sol…

LA MORT DE MARIE-HÉLÈNE

La maladie était terrible. Elle avait souffert durant des années, tantôt s'évanouissant, tantôt étant incapable de respirer. Une fois même, en 1966, comme je donnais un bal, comme elle était trop souffrante pour s'habiller, elle était restée cachée dans un coin avec simplement un manteau sur sa chemise de nuit, juste pour voir comment la soirée se déroulait.

---

1 *The Richard Burton Diaries* publié par Chris William (2012).

Guy, la reine Margrethe
de Danemark, le prince
Henrik de Danemark
et Marie-Hélène,
octobre 1980.

Guy et Marie-Hélène avec
Ronald et Nancy Reagan.

Elle venait parfois malgré tout, mais on ne savait jamais combien de temps elle resterait. Comme toutes les grandes dames, elle supportait sa maladie avec stoïcisme. Peu de gens ont su combien elle avait souffert alors que l'univers des ambulances et des chaises roulantes n'était jamais bien loin.

Sa maladie affectait ses articulations et attaquait ses os. Pendant vingt ans, elle a dû prendre de la cortisone, ce qui allégeait sa souffrance mais entraînait des effets secondaires sur sa peau, sur son système immunitaire et sur ses muscles. Sa maladie était une sorte de polyarthrite dégénérative. Ses ganglions lymphatiques, qui constituent notre système immunitaire, finirent par devenir résistants aux antibiotiques. Son courage était sans limite, ce qui lui permit de résister à la dépression qui peut parfois surgir quand on souffre comme elle a souffert. À la fin de sa vie, elle n'avait plus assez de muscle pour respirer. Elle était à la fois très affaiblie et en même temps très forte.

Certains ont peut-être parfois pu penser qu'elle n'était qu'une enfant gâtée : ils ne mesurent pas ce que pouvait être sa souffrance au quotidien. Elle était une grande actrice et réussissait parfaitement à la dissimuler. Elle pouvait rester des semaines, voire des mois, alitée. Sa température montait jusqu'à des degrés extrêmes, la contraignant alors à passer toute sa journée dans l'obscurité. S'habiller devenait pour elle une épreuve, ce qui ne l'empêchait pas de passer un manteau sur sa chemise de nuit pour aller rendre visite à une amie ou pour se rendre à une exposition, avant de rentrer se coucher, épuisée et malade.

Son état empira vers 1992. Dans les trois dernières années de sa vie, Marie-Hélène fut placée sous assistance respiratoire. Un tube inséré dans sa gorge la reliait à la machine. Et pourtant, elle restait forte, ne se plaignant jamais. Elle développa alors une sorte de fascination pour la médecine. Elle se mit un jour à étudier les médicaments dont elle avait besoin avec une telle application qu'elle aurait pu devenir médecin à son tour. D'ailleurs, ses médecins l'appelaient eux-mêmes en plaisantant "professeur de Rothschild".

Puis, quand elle fut plus malade encore, dans ces dernières et terribles années qu'elle passa à Ferrières, contrainte de recourir à un de ces lits médicaux en acier, elle en fit recouvrir les extrémités de satin rose pour le camoufler. C'est encore un exemple de sa manie du détail. Je cessai de voyager quand elle devint trop malade et restai assis à son chevet durant des heures. Marie-Hélène fut finalement victime d'une embolie qui l'emporta très rapidement. Elle mourut le 1er mars 1996, c'est comme si un rayon de soleil cessait tout à coup d'illuminer ma vie. Cela n'a jamais plus été pareil depuis. Les journaux lui rendirent un hommage appuyé, plus d'un déclara que c'était la "reine de Paris" qui venait de s'éteindre.

Une très belle messe fut célébrée à son intention en l'église Saint-Louis-en-l'Île, et elle fut inhumée à Meautry dans le petit village de Touques où Guy la rejoindra un jour[1]. Après sa mort, ce dernier m'avoua qu'il avait compris que la maladie de Marie-Hélène était la seule chose qui ait pu avoir raison de ce fantastique élan qu'elle avait pour la vie. Il ajouta que tout au long des trente-neuf ans qu'avait duré leur mariage, il n'avait jamais cherché à la retenir dans cet élan. Pour lui, comme pour moi, sa mort bouleversa notre existence.

_____

1 Guy de Rothschild est décédé à Ferrières, le 12 juin 2007.

La vie au XXIe siècle

J'AI LA CHANCE D'ÊTRE ENCORE AU LAMBERT, ce sera ma demeure jusqu'à la fin. J'ai Whisky à mes côtés. C'était le chien de Marie-Hélène. Il dort dans ma chambre : soit sur sa couche, soit sur mon lit mais jamais dans mon lit. Et quand je m'absente, il part chez Guy en Normandie.

Guy passe parfois, en rentrant de Ferrières, mais il ne reste jamais très longtemps. Les Rothschild possèdent désormais tout l'hôtel. En face de mon appartement, il y a un de mes grands amis, Marocain, qui se sert de son appartement comme pied-à-terre. L'ambassade de Grande-Bretagne y a eu longtemps un appartement elle aussi, réservé à son attaché culturel. À l'étage vit la princesse de Sophie de Ligne. Elle est l'épouse du fils que Marie-Hélène a eu de son premier mariage. Elle possède aussi une maison à la campagne.

Guy est sans conteste l'un des plus grands banquiers du XXe siècle, et c'est un homme d'une intelligence remarquable. Il a présidé aux destinées de la banque Rothschild à une époque de grands bouleversements dans le monde de la finance. Il est aussi très cultivé et très urbain. Pourtant, même s'il aime ses semblables, je reste persuadé qu'au fond il leur préfère la compagnie des animaux. Et par-dessus tout, ce qu'il préfère ce sont les chiens.

C'est un homme remarquablement avisé. Je pense souvent à cette capacité que Guy a de se passionner pour tout dans la vie, à sa passion revigorante et quotidienne pour le golf, et plus encore à cette faculté qu'il a de rester jeune. Il a désormais 95 ans.

Je connais des personnes qui sont très sourcilleuses sur la table qu'on leur propose quand ils vont au restaurant ou quand ils sont invités à un grand dîner. Guy, lui, répète toujours : « Celui qui compte vraiment n'attache pas d'importance à ces choses-là, et celui qui y attache de l'importance ne compte pas vraiment ». J'ai repris cette maxime à mon compte. Guy a également coutume de dire qu'une décoration « ne se demande pas, ne se refuse pas et ne se porte pas ».

L'avenir de l'hôtel Lambert est assez incertain. Pour la jeune génération Rothschild, qui considère qu'elle est trop solennelle, ce n'est pas la maison idéale. Cette génération préfère mener une vie plus simple. Récemment, l'un des petits-fils de Marie-Hélène est passé, et quand on lui a demandé ce qu'il pensait de l'hôtel, il a répondu : « C'est de loin le plus beau musée que j'ai visité ».

Je me dis parfois que vivre aussi longtemps est un exploit. Chaque jour je lis les annonces nécrologiques du *Figaro,* et trop souvent j'y apprends la mort d'un autre de mes vieux amis. Il n'y a pas si longtemps, un camarade d'école du Rosey m'a passé un coup de fil. Nous avions partagé la même chambre pendant un an. Il est Français et habite Paris. Il est marié, il a des enfants et même des petits-enfants. Pourtant, je ne le vois jamais, c'est pourquoi je lui posé la question :

— C'est très gentil ton appel, mais quel en est le motif ?

— Oh, me répondit-il, c'était juste pour savoir si tu vivais encore.

Je ne vais plus aux grandes soirées ni même aux bals. J'ai arrêté quand Marie-Hélène est devenue gravement malade. Et puis l'époque n'est plus à ce genre de manifestations : cela suscite trop de jalousie. Ce genre de publicité est dangereux, aussi ai-je remisé toute cette partie de ma vie dans ma mémoire, où tout est bien en ordre. Je n'aime rien tant que déjeuner ici, avec des amis le plus souvent, et assez régulièrement encore je donne des déjeuners de seize personnes. Le Lambert s'anime alors à nouveau, l'espace de quelques heures. Je fais surtout cela quand une personnalité étrangère vient à Paris et que j'ai plaisir à la recevoir.

Quand Marie-Hélène est morte, j'ai pris à mon service son second chef. Quelqu'un de très doué. Ce chef travaille pour moi pour le déjeuner et pour Édouard, le fils de Guy, le soir. C'est un arrangement très pratique. Aujourd'hui encore, nous inventons tous les deux de nouvelles recettes, et je reste intraitable sur la qualité des produits.

Je ne donne jamais de buffets parce que je déteste avoir une assiette sur les genoux. Les cocktails m'ennuient : il y a toujours quelqu'un pour vous parler distraitement en regardant par-dessus votre épaule si quelqu'un de plus intéressant ne vient pas d'entrer dans la pièce. Par conséquent, non seulement je ne donne pas de cocktails mais je ne m'y assiste jamais non plus.

Certains prétendent que plus personne aujourd'hui ne vit comme je le fais, c'est sans doute vrai. Je me souviens de Paris dans la splendeur qui fut la sienne après-guerre : je me suis simplement efforcé de perpétuer ce style de vie là. Suis-je le dernier à faire ainsi ? Je l'ignore, et à vrai dire cela m'est bien égal.

J'imagine bien volontiers que tout le monde ne possède pas un fauteuil comme celui qui se trouve dans ma bibliothèque, un fauteuil dont les pieds et les accoudoirs sont en argent, tapissé d'un velours écarlate. Louis XIV en a possédé un identique mais il l'a envoyé à la fonte quand il a eu besoin d'argent.

On dit de moi que je suis l'arbitre du bon goût. C'est délicat : le goût est une notion très subjective. On pourrait même dire que ce serait d'assez mauvais goût de dire qui a du goût ! C'est par ailleurs une notion assez vague. Ce que l'un considère comme de bon ton, un autre le qualifiera de mauvais genre. Disons que j'assume mon propre goût, naturellement, mais peut-être que certains ne le partagent pas. Mon goût, précisément, a toujours été de mélanger les styles et les périodes. J'habite des pièces immenses dans lesquelles j'aime créer une atmosphère intime. Rien n'est plus intime en fait que la notion de goût, et j'avoue que j'aimerais que la plupart des gens se fient davantage à leur propre goût plutôt que de suivre les modes qu'imposent les décorateurs et les designers professionnels. J'ai toujours considéré qu'on ne pouvait laisser une trace que si on réussissait à imposer son propre goût.

Cecil Beaton est l'auteur d'un livre excellent, intitulé *The glass of fashion*. Il y parle d'Arturo et de moi, et de toutes les années que j'ai évoquées. Le livre a paru en 1954. Cecil a tenté d'y présenter ceux qui, tout en restant dans l'ombre, ont vu leur propre conception du goût adoptée et partagée. Bien sûr, dans la liste figurent Chanel et Dior, mais il y a également des figures moins connues, telles que la tante d'Arturo, Mme Errazuriz[1] dont j'ai déjà parlé, des gens qui ont un goût instinctif quand tant d'autres ne sont que des suiveurs.

Cecil a relevé quelque chose d'important au sujet d'une certaine Mme Martinez de Hoz. Il explique qu'elle n'a jamais personnellement créé quoi que ce soit, qu'elle n'a pas non plus lancé de mode. Mais elle possédait une telle conception de la perfection que si elle donnait son approbation à quelque chose, cette approbation prenait aussitôt la forme d'une recommandation.

Il y a des gens à qui il faut de longues années pour apprendre comment organiser sa vie. D'autres reçoivent ce don à la naissance. L'élégance, c'est une certaine façon de marcher, une certaine façon de se tenir. J'ai rencontré dans ma vie des gens qui faisaient preuve d'un goût très sûr. Je pense à Arturo, Charlie de Beistegui, Emilio Terry, Georges Geffroy, Bébé Bérard, Marie-Laure de Noailles et quelques autres. J'ai appris différentes notions du goût auprès de chacun d'eux.

Il y a comme cela de petites choses insignifiantes que j'ai l'habitude de faire et que certains ont parfois tenté d'imiter sans toujours y parvenir : vaporiser les bouquets par exemple. J'aime beaucoup les fleurs, j'en ai à profusion au Lambert. Je les fais vaporiser juste avant de passer à table. Cela donne l'impression qu'elles sont encore couvertes de rosée, cela change complètement la perception qu'on se fait d'un bouquet.

Ma chambre peut quant à elle donner l'impression d'être un peu sous-éclairée, mais c'est parce que j'aime la lueur des bougies. J'ai même fait éclairer par en dessous une console qui s'y trouve. J'aime également beaucoup la couleur rouge dans une chambre : d'abord parce que cela met la peau en valeur, ensuite parce que cela rend les gens heureux. J'aime les tables qui

---

1 Il s'agit d'Eugénie Huici Arguedas de Errazuriz (1860-1951). Cette riche mécène d'origine chilienne mais d'ascendance basque, fut connue pour avoir soutenu Picasso, les musiciens du groupe des Six, mais aussi Stravinsky et Cocteau. Elle était célèbre pour son sens de l'élégance.

Avec Valéry Giscard
d'Estaing, en 1975.

Avec Juan Carlos, en 1984.

Avec Gunter Sachs
et Bob Hope, en 1979.

dans l'avion de Santa Domingo
allant au mariage Catroux
avec Doris Brynner le 14. VI. 2002

Avec Doris Brynner,
en jet privé, en 2002.

Avec Marisa Berenson
et le prince et la princesse
de Yougoslavie, en 1995.

Andy Warhol
et Jane Holzer.

Avec le prince Jean-Louis
de Faucigny-Lucinge.

Françoise Sagan.

Alexandre Serebriakoff.

Le prince Rupert
zu Loewenstein.

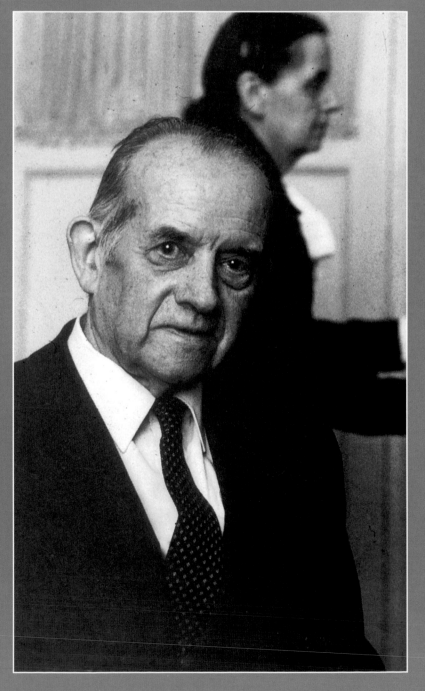

sont surchargées de bibelots et les fauteuils confortables. J'aime placer les choses avec soin : disposer ici une plante, et là un livre. Je veille à tout avec un soin particulier, cherchant en toute occasion le meilleur endroit pour un objet. C'est une de mes qualités, et c'est toujours un grand bonheur pour moi.

Il y a quelques années, on demandait au gourou américain de la mode, Eleanor Lambert, si elle regrettait les grandes figures du passé et si, selon elle, ceux qui leur avaient succédé n'en étaient qu'une pâle imitation. « Il y a toujours des gens de style mais leur impact n'est plus le même aujourd'hui » répondit-elle.

Je comprends tout à fait ce qu'elle a voulu dire. Je crois que les amis qui sont les miens aujourd'hui sont différents de ceux que j'avais quand j'étais jeune. Mon regret, c'est que la bonne société ne soit plus aussi inventive. Dans ma jeunesse, les personnalités en vue protégeaient la musique ou la peinture et s'assuraient que de jeunes musiciens seraient en mesure de présenter leurs dernières œuvres devant un public à même de les aider ensuite. Plusieurs œuvres devenues célèbres par la suite ont d'abord été créées dans le salon de Marie-Blanche de Polignac lors de ses réceptions du dimanche soir. La bonne société parisienne aimait aller à la rencontre de jeunes artistes et de musiciens prometteurs. Tout cela est fini désormais.

La société a changé, les valeurs aussi. À son époque, Elsa Maxwell a su faire s'ouvrir la bonne société, elle a apporté un souffle nouveau à un monde qui était un peu suranné. De nouveaux visages sont arrivés d'Amérique, c'était la plupart du temps très stimulant même si c'était quelquefois un peu hasardeux. Cole Porter reste par exemple la parfaite illustration d'un musicien qui, malgré un vrai talent, n'aurait jamais été admis dans la bonne société autrefois.

Cela m'amuse, aujourd'hui encore, de rencontrer ceux qui parviennent à marquer notre époque, même quand il s'agit de personnalités controversées. Et c'est toujours une joie pour moi de croiser Pierre Bergé, Hubert de Givenchy et d'une manière générale, tous ceux qui ont réussi grâce à leur talent et connaissent aussi le prix de la vie.

Dernièrement, j'ai donné un déjeuner pour la princesse Michael de Kent. Comme c'est une personne intelligente et cultivée, j'avais également invité Bernard Minoret – qui ne l'est pas moins – à venir faire sa connaissance.

Je n'ai pas de famille mais j'ai de nombreux amis. Peut-être est-ce plus facile ainsi. J'ai quelques cousins éloignés mais je ne les vois jamais. Chaque jour, j'échange au téléphone avec Rupert. Sa fille Dora, ma filleule, est vraiment la fille de son père ! Rupert et Josephine vont à Lourdes à chaque année, ils y passent généralement quatre à cinq jours. Je les rejoins ensuite à Eugénie-les-Bains. Nous jouons au gin-rummy, profitons du menu "minceur" et suivons de loin les nouvelles du monde.

Le prince Jean-Louis de Faucigny-Lucinge, lady Abdy, Christian Bérard et Denise Bourdet à Groussay.

Ma bibliothèque au Lambert et le catalogue de la vente
de la bibliothèque du président Lambert (1730) offert en 1973
par le grand libraire new-yorkais Bernard Breslauer,
qui constitua ma collection de reliures en maroquin aux armes.

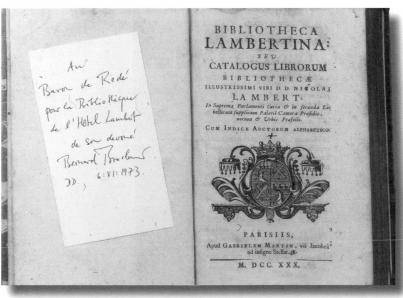

Je vois aussi Patricia de temps en temps. Alors même qu'elle ne m'aimait pas autrefois, quelque chose nous lie l'un à l'autre désormais. Elle passe cinq mois de l'année dans sa maison du sud de la France, près de Saint-Tropez, et j'y séjourne trois jours chaque année. Le reste du temps, elle est à Kitzbühel, parfois à Lausanne. Elle a complètement renoncé à la mode et ne sentirait pas insultée si quelqu'un, la croisant dans la rue, ne la reconnaissait pas, ne se doutait pas qu'elle a inspiré les plus grands couturiers de son époque. Ses robes sont désormais conservées dans les musées et Patricia est heureuse qu'il en soit ainsi.

Elle a acheté la maison de Saint-Tropez à la mort d'Arturo. Elle est tombée amoureuse d'un homme que la vie mondaine n'intéressait pas, qu'elle n'a jamais épousé et qui est mort il y a quelques années.

Je pensais qu'après la mort de Marie-Hélène, je serais voué à une vie solitaire, mais j'ai eu la chance de vivre une ultime amitié amoureuse.

CHARLOTTE AILLAUD

Je connaissais Charlotte Aillaud depuis des années mais récemment, elle est devenue pour moi une amie intime. Nous entretenons ce que les Français appellent une "amitié amoureuse". Elle est d'une intelligence supérieure et se révèle pour moi une mine d'informations pour toutes les choses de la vie culturelle. Charlotte a eu une vie qui a été fascinante mais pas facile pour autant. Françoise Sagan l'a décrite comme étant « l'élégance personnifiée ». Elle a même écrit quelque part que la conversation de Charlotte était absolument étincelante, et sa culture générale un puits sans fond. De son côté, le réalisateur Joseph Losey a dit qu'elle était « stylée, supérieurement intelligente, et profondément cultivée ».

Charlotte est née à Montpellier d'un père corse et d'une mère bordelaise. Quand la guerre

Charlotte et Émile Aillaud
au bal Rouge.

a éclaté, sa mère s'est engagée dans la Résistance et le 9 septembre 1943, elle a été arrêtée à Périgueux. Charlotte et sa sœur, Juliette Greco, sont alors parties pour Paris. C'est là qu'elles ont ensuite été toutes les deux arrêtées. D'abord Charlotte, puis Juliette. Elles ont été emprisonnées à Fresnes, et Juliette jetée dans un cachot qu'elle a dû partager avec des prostituées. Au bout de quelque temps, on libéra Juliette mais Charlotte, elle, fut envoyée dans un camp de concentration jusqu'à la fin de la guerre. Sa mère fut libérée en même temps qu'elle et reprit du service dans la marine, afin d'accompagner le corps expéditionnaire français en Indochine.

Charlotte et Juliette restèrent alors toutes les deux à Paris, gravitant dans le petit cercle du bar du Pont-Royal, et se liant bientôt d'amitié avec Jean-Paul Sartre, Simone de Beauvoir et Albert Camus. Peu de temps après, Juliette devait entamer son extraordinaire carrière de chanteuse. On a souvent décrit cette dernière comme la « muse de l'existentialisme » et parfois même comme le « mouton noir des nuits blanches ».

La musique a été le premier amour de Charlotte, c'était même une véritable passion. Par la suite, elle a collaboré à la revue *Architectural Digest* pour laquelle elle est devenue envoyée spéciale, écrivant des articles sur les demeures de style, et parfois sur celles des grands couturiers. Elle a été mariée à Émile Aillaud, fameux architecte et auteur du pavillon français à l'exposition universelle de New York, en 1939. Au début des années 1950, il a dessiné les plans de villes nouvelles où il a cherché à favoriser un nouveau mode de vie. Parmi elles, les Courtillières à Pantin, et la Grande Borne à Grigny.

À Paris, Charlotte a vécu durant des années avec son mari dans une maison du XVIIIe siècle, au 10 rue du Dragon. Son mari y avait fait construire dans l'entrée un escalier étonnamment moderne, en spirale. Il se dégageait de cette maison d'inspiration Louis XV une atmosphère de maison de campagne. On y trouvait des oies en céramique et un mouton grandeur nature dessiné par François-Xavier Lalanne, qui trônait en permanence dans la salle à manger. Sagan y a décrit le petit salon en velours rouge de Fortuny comme une « loge de théâtre arrangée spécialement pour y recevoir des amis qui seraient passés pour venir écouter Verdi. Une pièce pour rêver, une pièce pour vivre hors du temps, et sans doute dans une époque plus chaleureuse que la nôtre ». C'est là que Charlotte a reçu des écrivains, des peintres, des sculpteurs et des musiciens. Elle a l'habitude de dire que c'est comme vivre en pleine campagne mais en centre-ville !

Elle est persuadée que la possession de biens personnels est intimement liée à notre histoire intime. Elle m'a dit un jour : « Si mon lit est recouvert de dentelle, ce n'est pas parce que je trouve ça joli, mais parce que cela me ramène à l'enfance, aux enfants de chœur, aux fragiles robes de poupée, au voile qui protégeait le visage de nos grands-mères et aux napperons qu'on plaçait sous les gâteaux ».

Charlotte Aillaud
et Françoise Sagan.

Avec Charlotte Aillaud
et Olimpia de Rothschild.

Les Aillaud recevaient très bien, et chez eux on croisait Noureev, Herbert von Karajan, Maria Callas, Truman Capote, Helmut Berger, Andy Warhol, ou encore Yves Saint Laurent et Pierre Bergé. Charlotte possédait aussi autrefois une très jolie fermette, à Fontainebleau, où elle se retirait le week-end. Elle avait su créer là-bas un jardin fleuri d'un enchevêtrement de roses couleur pastel, d'une vigne vierge et de delphiniums qui poussaient au milieu des fougères. Charlotte a toujours aimé recevoir, surtout de manière informelle, et réunir ses amis pour des soirées improvisées où tout, en fait, a été planifié de longue date. Elle a l'habitude de dire qu'une maison est comme une valise : « on peut toujours y caser plus de choses qu'on le croit ». Là-bas, elle aimait passer du temps avec sa fille et ses trois petites-filles.

Pierre Combescot, le romancier lauréat du prix Goncourt, dit très justement qu'à côté de Charlotte, le temps se tient immobile et qu'elle a un véritable don pour le bonheur. Cela tient à sa jeunesse qui a été si dure et l'a amenée à côtoyer l'horreur et la mort de près. Combescot trouve un peu étrange qu'un petit oiseau aussi malicieux que Charlotte puisse aimer venir se poser sur mes épaules mélancoliques. Il a dit un jour que je la regardais d'un œil amoureux, un peu comme « comme si un miracle était tombé dans mon verre de vodka ».

Pendant des années c'est vrai, nous nous sommes croisés dans le monde comme les navires se croisent en haute mer. Mais nous étions toujours heureux de nous retrouver assis à côté l'un de l'autre à un dîner. L'amitié que me porte Charlotte n'est pas mondaine. Elle n'est pas motivée non plus par le projet de grandes soirées à venir. Charlotte est avec moi lors des moments tranquilles, comme c'est le cas avec la véritable amitié.

À la mort de Marie-Hélène, elle est devenue pour moi une amie très proche. Sachant combien j'étais seul, elle m'a invité à l'accompagner au festival de Salzbourg, et alors que nous étions là-bas, nous avons eu des conversations qui duraient parfois jusqu'à l'aube. Elle m'a aidé à ouvrir l'armoire dans laquelle j'avais rangé tous mes souvenirs et dont je pensais avoir perdu la clef. Après ce séjour, nous savions l'un et l'autre que nous ne nous quitterions jamais plus.

Charlotte a l'habitude de dire que j'ai toujours su comment sourire mais que c'est elle qui m'a appris à rire. Ce n'est pas faux. Nous avons fait pas mal de voyages ensemble, en Extrême-Orient, en Inde et dans toute l'Europe. Ensemble nous aimions explorer, tous deux saisis par l'envie de tout voir et de tout entendre. Mon point fort c'était les objets, et le sien la musique.

Nous nous sommes mis à sortir tous les soirs, explorant des mondes qui étaient assez éloignés du "beau monde". Je n'aime pas rester seul à rien faire quand le jour finit. Souvent, nous sortions jusqu'à deux heures du matin, et parfois même nous nous téléphonions au beau milieu de la nuit.

On ne sait jamais à l'avance combien la vie peut vous combler.

Mes souliers, faits à la main par Cleverley, célèbre bottier londonien.

J'aime aller en Angleterre une fois par an. J'ai toujours le même chauffeur, et nous faisons tous les deux la même plaisanterie à chaque fois que nous passons à hauteur du Cromwell Hospital : « Nous revoilà ! » s'écrie-t-il.

Les Anglais sont plus excentriques que les Français, qui d'ailleurs ne le sont pas du tout. La plupart d'entre eux n'ont en revanche aucun sens visuel. Ils peuvent se révéler d'épouvantables raseurs, ne parlant que de chasse à tir ou de vénerie. Il y a fort heureusement quelques exceptions, des hommes tels qu'Edward James par exemple : un homme étrange, qui aimait le mouvement surréaliste et qui fut l'un des premiers mécènes de Dalí. À la fin de sa vie, il partit vivre à Mexico. Je suppose que l'Angleterre ne lui convenait pas. Quand je suis à Londres, je descends au Portland Club, non loin du Claridge. C'est là que je joue au bridge, et je rends aussi visite au successeur de Mr Cleverley pour de nouveaux souliers. Les chaussures ont toujours été ma faiblesse. J'en ai un placard rempli à l'étage, qui contient notamment plusieurs mocassins de soirée. Tous ont été confectionnés par Anthony Cleverley, sans aucun doute le meilleur fabricant de chaussures au monde. Il a donné à l'une d'elles le nom de mocassin Redé. Il est fabriqué en cuir de porc. Voilà bien un titre de gloire ! Je me demande combien de personnes dans le monde peuvent porter des mocassins Redé ?

Dans un autre genre, il existe aussi un pain nommé "petit Redé". Il est fait par une boulangerie, ici, sur l'île Saint-Louis. Les clients entrent dans la boulangerie et demandent : « Un Redé s'il vous plaît ! »

Je crois qu'il y a aussi une rose, au Maroc, qui a été baptisée Redé. Elle est blanche avec une pointe de rose à l'intérieur et dégage un parfum merveilleux.

Chaque année, je me rends à Venise où je suis très actif dans l'organisation du comité Save Venice. Si j'adore arriver à Venise, je suis aussi content d'en repartir car la ville peut se montrer parfois un peu étouffante.

Certaines des choses que j'ai évoquées dans ce livre se révéleront sans doute de peu d'intérêt. La vie est comme un puzzle qu'il faut compléter pièce après pièce. Je ne suis pas un grand philosophe. Je ne vis que pour l'élégance et pour le goût. Pour ce qui est de mes défauts, je suis assez égocentrique et très impatient. Je crois que je suis aussi assez indifférent à l'affection qu'on me porte. Les têtes couronnées ne m'intéressent pas non plus. Je n'aime pas les évènements où elles sont présentes. Je ne suis pas davantage attiré par les honneurs, les décorations, etc.

C'est pourtant dans ce cadre-là que j'ai été amené à prendre la parole à l'automne 2003. Je me suis surpris alors à penser à ce que Guy disait de ce genre d'évènements. À ma grande surprise, j'ai été fait commandeur dans l'ordre des arts et lettres. C'est une distinction habituellement réservée aux acteurs et aux actrices, comme Gregory Peck ou Gloria Swanson, mais on la donne parfois aussi à ceux qui ont œuvré à la préservation et à la restauration du patrimoine. Liliane de Rothschild l'avait reçue peu de temps avant sa mort. Recommandé par quatre conservateurs de musées, j'ai reçu à mon tour cette décoration en octobre 2003.

Il m'est agréable de savoir qu'on a pensé à moi et j'avoue que j'ai été heureux de recevoir cette distinction. On m'a remis cette médaille pour avoir entrepris ce qui a toujours le but de ma vie, la seule chose pour laquelle j'aimerais qu'on se souvienne de moi : avoir restauré et sauvé cette grande et vieille maison qu'est le Lambert, ma maison depuis maintenant plus de cinquante ans. L'hôtel Lambert ne serait certainement pas ce qu'il est aujourd'hui si je n'en étais pas tombé amoureux. Peut-être qu'un jour cette demeure deviendra un musée…

À cette occasion, j'ai fait quelque chose que je ne fais jamais : j'ai donné un cocktail, ici au Lambert. De nombreux amis sont venus me voir recevoir ma décoration et entendre le discours du ministre de la culture, en présence du premier ministre, et des épouses de deux présidents de la République, Mmes Chirac et Pompidou. Le ministre a expliqué que j'avais consacré ma vie à la culture, à l'art, à la beauté et à la magie propre à certains lieux. Il a ajouté que j'étais un acteur incontournable dans l'histoire de la vie mondaine française. Il m'a même décrit comme l'un des personnages les plus singuliers de la scène parisienne. La modestie m'interdit de m'attarder plus davantage.

J'ai bien été obligé de répondre, j'ai alors choisi de citer Voltaire, qui évoque le Lambert dans une lettre à Frédéric de Prusse et le présente comme une « demeure faite pour un souverain qui serait aussi philosophe ». Les discours ne sont pas mon fort, et j'ai confié à certains de mes amis présents ce soir-là que nombre d'entre eux pourraient sans doute mettre sur le compte de l'élégance qu'on me prête cette capacité que j'ai à rester silencieux. Je peux d'ailleurs être silencieux en plusieurs langues ! Ce soir-là, j'avais choisi le français.

Je ne veux pas jouer les modestes en disant que je n'ai rien fait pour recevoir pareille distinction. J'ai simplement eu la chance de pouvoir me consacrer égoïstement à mes centres d'intérêt grâce à la générosité de mes amis. Je pense particulièrement à Arturo, et dans le cadre du Lambert, à Guy et à Marie-Hélène. Sans Guy, le Lambert aurait été vendu et il n'aurait pas survécu jusqu'à aujourd'hui dans sa forme originelle. Mon rôle dans toute cette histoire a été de susciter puis de catalyser l'amour de ce lieu auprès de mes amis. C'est ainsi qu'il a été sauvé. Mais je crois aussi que la plus grande joie que j'ai éprouvé ce soir où l'on m'a remis cette décoration, c'est de voir que la poursuite du beau et sa préservation ne paraissaient plus des buts totalement frivoles. Je sais combien les soins quotidiens que nécessite l'entretien d'une pareille demeure requièrent de dévouement et de courage.

Il y a des moments dans l'existence où le monde interrompt brièvement sa course et prend le temps de regarder ce qu'un homme a fait durant sa vie entière. Je n'ai rien fait d'autre que de témoigner de mon amour pour le beau et pour le luxe, et de chercher à passer mon existence aux côtés des gens de ma génération les plus intéressants et les brillants du point de vue de cette quête esthétique. Ce fut une expérience particulièrement enrichissante, ce fut aussi très agréable. J'ai eu beaucoup de chance. J'espère aussi avoir donné un peu en retour, et j'aurai au moins sauvé le Lambert, cet endroit merveilleux, ma maison : là où j'habite depuis maintenant près de soixante ans.

Voilà ce que pourrait être mon épitaphe[1].

---

1 Le baron Alexis de Redé est décédé le 8 juillet 2004 à Paris. Il est inhumé au cimetière du Père-Lachaise aux côtés d'Arturo Lopez.

Index des noms

Table des matières

Remerciements

Cet ouvrage a bénéficié de la générosité et du talent
de Hugo Vickers qui a accueilli avec enthou-siasme le projet d'édition française de son ouvrage et qui l'a facilité par ses conseils pertinents, ses corrections avisées et ses remarques judicieuses,
de Mme Charlotte Aillaud qui a bien voulu auto-riser la publication de l'ouvrage en français,
d'Elizabeth Vickers pour ses photos,
de Frédéric Bardoux, Laurent de Commines, Thierry Coudert, Alexandre Pradère, Frédéric Noblet et Diane de Blain qui nous ont aidés dans sa réalisation,
& d'Anne Gruet, des Éditions Lacurne, qui a supervisé avec talent sa conception graphique et sa réalisation éditoriale

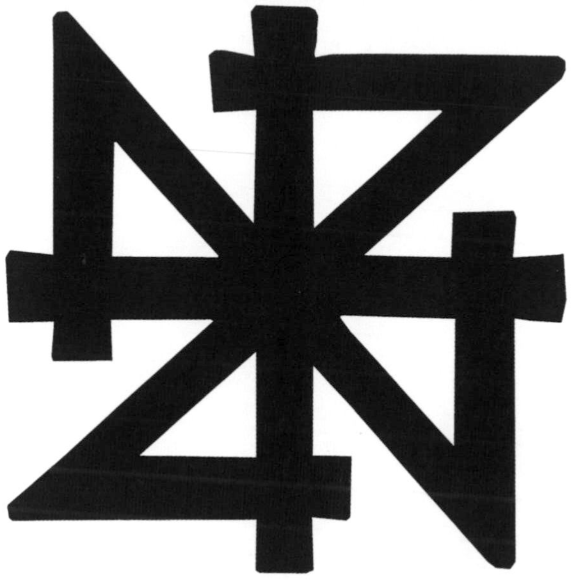

Crédits photographiques

Cet ouvrage
a été achevé d'imprimer
en octobre 2017
par Papergraf, à Padoue en Italie,
pour le compte des Éditions Lacurne à Paris.

Première publication :
Alexis. The memoirs of the baron de Redé. Edited by Hugo Vickers.
Estate of the late baron de Redé, 2005.

Direction éditoriale & maquette : Anne Gruet.
Conception et relecture : Le xxiᵉ cercle.

FOUGEROLLE
LIVRES

ISBN 978-2-35603-020-7
N° d'édition 17-10
Dépôt légal : novembre 2017